LA FEMME
AUX FLEURS DE PAPIER

DU MÊME AUTEUR

Le Chuchoteur, Calmann-Lévy, 2010
Le Tribunal des âmes, Calmann-Lévy, 2012
L'Écorchée, Calmann-Lévy, 2013

DONATO CARRISI

LA FEMME AUX FLEURS DE PAPIER

Roman

Traduit de l'italien par Anaïs Bokobza

calmann-lévy

Titre original italien :
LA DONNA DEI FIORI DI CARTA
Première publication : Longanesi & C.,
Gruppo Editoriale Mauri Spagnol, Milan, 2012

COUVERTURE
Maquette : Constance Clavel
Photographie : © Sandrine Pic/Plainpicture

ISBN 978-2-7021-4474-9

À Daniela Bernabò

L'histoire que vous lirez dans ces pages est vraie.
Tout le reste, inévitablement, est inventé.

1

La nuit du 14 au 15 avril 1912, tandis que le *Titanic* sombrait au beau milieu de son voyage inaugural, un des passagers descendit dans sa cabine de première classe, revêtit un smoking et remonta sur le pont.

Au lieu de chercher à sauver sa peau, il alluma un cigare et attendit la mort.

Quand on demanda aux rescapés du naufrage qui était cet homme mystérieux, la majorité identifia un certain Otto Feüerstein, négociant en tissus, qui voyageait pour affaires, seul.

Aucun d'entre eux ne fut informé qu'en réalité Otto Feüerstein était mort dans son lit, chez lui, à Dresde.

Deux jours avant que le *Titanic* lève l'ancre.

2

Une immense cathédrale de glace.

Jacob Roumann, à l'abri derrière le mur de la tranchée, observait la montagne. C'était là qu'on enterrait les morts, dans les neiges éternelles. La roche était trop dure pour y creuser des fosses. Cela présentait un avantage : dans ces tombes de gel, les corps seraient conservés intacts pendant des millions d'années.

Jeunes pour l'éternité, pensa-t-il en refermant d'une caresse les paupières du soldat qu'il n'avait pas réussi à sauver – quel âge pouvait-il avoir? Dix-huit, dix-neuf ans. Puis Jacob Roumann se tourna vers une bassine en zinc et plongea dans l'eau ses mains tachées de sang. Depuis deux ou trois heures, les armes se taisaient – pour combien de temps?

Maudite glace.

Il avait espéré que le froid ralentirait l'hémorragie du blessé. En vain. Sans médicaments et avec les quelques instruments usés qu'il avait à disposition, il n'avait pu arrêter le saignement. Et même s'il y était arrivé, à quoi bon ? Ceux qui guérissaient étaient expédiés en première ligne. Il les remettait sur pied pour qu'ils tuent ou se fassent tuer – belle récompense ! Finalement, lui aussi travaillait pour le compte de la Grande Faucheuse.

Je suis le clown envoyé par Dieu en pleine Apocalypse, se disait-il.

Autour de lui, plus rien n'était pourvu de sens logique. Pour commencer, c'était le printemps mais tout évoquait l'hiver. Ils l'appelaient guerre mondiale, mais au fond c'était toujours la même merde. Une génération prometteuse d'Autrichiens – les meilleurs fils de la patrie – était venue se faire trucider au nom d'un avenir qu'elle ne connaîtrait jamais. Jacob Roumann voyait arriver des jeunes gens farcis d'hormones et d'idéaux ; au bout de quelques semaines de tranchées, ils ressemblaient à des petits vieux trouillards et rancuniers. Il blâmait aussi les Italiens de l'autre côté du front. Mal équipés, peu ou pas préparés au combat, ils étaient mus par le souvenir de leur Risorgimento, leur lutte pour l'unification. Poussés par l'exigence de rivaliser avec leurs pères, les fils voulaient s'assurer une place dans l'histoire, ignorant totalement que, une fois cette guerre terminée, tôt ou tard une autre éclaterait et que l'histoire les oublierait.

Et lui ? Que faisait-il là ? Il se le demandait de plus en plus souvent.

Ce 14 avril, il avait trente-deux ans. Il avait bien conscience que, de tous les paradoxes, il était le plus éclatant. *Je suis un oxymore*, se répétait-il.

Jacob Roumann, médecin de guerre.

Dans le délire collectif d'hommes épuisés par la fatigue et les souffrances, le docteur s'attendait à ce que quelqu'un – au moins un – recouvre un peu de bon sens, se dresse au milieu d'une tranchée et crie que tout ceci était absurde. Peut-être qu'alors la malédiction se briserait, que tout le monde comprendrait que c'était de la folie et s'en retournerait chez soi, auprès des siens.

Jacob Roumann n'avait personne à aller retrouver. Sa femme l'avait quitté pour un autre homme. Elle le lui avait communiqué dans une lettre de quelques lignes qu'il avait reçue une semaine auparavant, bien qu'elle l'eût écrite huit mois plus tôt. Huit mois pendant lesquels il avait cru être aimé. Huit mois passés à désirer le lit de son appartement, à Vienne. Ses pantoufles à côté de la porte d'entrée. La symphonie du silence magistralement orchestrée par la pendule du séjour tandis qu'il lisait un livre. Parce que, quand on survit à la guerre, la récompense n'est pas d'avoir été épargné mais de rentrer chez soi.

Un tir d'obus parti du versant des Dolomites occupés par les Italiens résonna entre les cimes. Jacob Roumann sortit de ses pensées : la trêve était finie. D'ici quelques secondes, leur armée répondrait et la machine de guerre se remettrait lentement en marche. C'étaient des escarmouches préliminaires, en vue d'une nouvelle nuit sans sommeil. Il avait lu quelque part que, à cause de la pression qu'ils subissent, les soldats ne rêvent pas. La seule façon d'échapper à la réalité est de mourir.

Jacob Roumann regarda le jeune homme qui venait d'expirer entre ses mains. Il ne voulait pas connaître leurs noms, cela ne l'intéressait pas. De toute façon, il les aurait oubliés, de même qu'il oubliait leurs visages et pourquoi ils mouraient.

Il conservait autre chose d'eux.

Il sortit de sa poche un carnet noir, un agenda de 1916 aux pages consumées, tachées de sang et de graisse pour fusils. Il le feuilleta jusqu'à la page du 14 avril. Il regarda sa montre gousset et compléta au crayon une liste déjà longue.

20 h 07. Simple soldat : « Cela apparaît. »

Puis il reconnut le bruit des godillots du sergent. Il était certain que celui-ci venait le convoquer de la part du chef de bataillon.

— Docteur, suivez-moi, s'il vous plaît. On a besoin de vous.

— Ah oui ? À qui dois-je sauver la vie, cette fois ? demanda Jacob Roumann, posant avec ironie les yeux sur le jeune cadavre.

La réponse du sergent fut dénuée de sarcasme :

— À un ennemi.

3

Le commandant du bataillon l'accueillit de dos, il se rasait. Son aide de camp tenait un morceau de miroir devant son visage. Le pauvret tremblait de froid, mais il s'efforçait de rester immobile pour ne pas contrarier son supérieur.

L'homme dessinait avec son rasoir les contours de son bouc, défiant le froid en manches de chemise. Il avait fait installer ses affaires dans le coin de la tranchée qui jusqu'à deux jours plus tôt était occupé par le lieutenant-colonel, capturé par l'ennemi lors d'une embuscade. S'y trouvaient un lit de camp, un petit poêle et, pour se protéger, un toit fait de planches de bois.

Le sergent et Jacob Roumann s'arrêtèrent sur le seuil de ce petit royaume usurpé. Personne n'osait interrompre la toilette de l'officier qui, à ce moment-là, était le plus haut gradé.

Craignant une hypothermie par excès de zèle hiérarchique, le médecin écourta l'attente :

— Vous m'avez fait appeler, mon commandant ?

Sans se retourner, sans détacher le rasoir de son visage, le supérieur parla enfin :

— Savez-vous quelle est la première qualité d'un militaire, docteur ?

Jacob Roumann résista à la tentation de lever les yeux au ciel, exaspéré. Pourquoi chaque fois qu'il devait donner un ordre – même de vider le seau contenant ses excréments – le commandant ressentait-il le besoin de dispenser une leçon de morale ? Ne pouvait-il pas en venir directement au fait ? Ne gâchait-on déjà pas assez sa vie à la guerre ?

— Non, monsieur : je ne sais pas quelle est la première qualité d'un militaire.

Il misa intérieurement sur « la discipline ».

— La première qualité d'un militaire est la discipline, annonça le commandant avec satisfaction. Et on exige avant tout la discipline de soi-même. Sinon, comment un bon commandant pourrait-il la demander à ses hommes ? C'est pour cette raison que je me présente toujours à la troupe impeccable. Le soin de ma personne est essentiel. Mes bottes doivent être brillantes, mon uniforme immaculé. Et vous savez pourquoi ? Parce que, poursuivit-il sans lui laisser le temps de répondre, si je prétextais la difficulté de notre situation pour me laisser aller, j'affaiblirais la volonté de mes soldats.

— Vous fournissez un excellent exemple. Merci, monsieur, répondit Jacob Roumann laissant échapper une légère note de sarcasme.

Le commandant le regarda dans le miroir.

— L'ennemi nous a donné une leçon, il y a deux jours, déclara-t-il d'un ton sévère.

C'était une guerre étrange. Sur le front de haute altitude, on ne combattait que le printemps et l'été. Toutefois, ils avaient passé l'hiver dans les tranchées, usés par l'attente, pour ne pas perdre les positions gagnées. Les Autrichiens contrôlaient les sommets des Dolomites, que les Italiens cherchaient à conquérir, et combattaient donc avec un avantage stratégique. Mais l'ennemi n'avait pas attendu le changement de saison pour reprendre les opérations. Le 12 avril, pendant une tempête de neige, les Italiens les avaient surpris en lançant une terrible attaque, à laquelle leur défense n'était pas préparée. Incroyablement motivés, ils s'étaient jetés par milliers sur leurs lignes.

— Nous avons perdu une grande partie de la frontière, répéta le commandant comme si c'était nécessaire. Il ne nous reste que cette position. Le dernier rempart de l'Autriche se trouve ici, sur le mont Fumo[1].

On touchait au cœur de la question ; l'emphase de l'officier le trahissait. Jacob Roumann allait bientôt

1. En italien *fumo* signifie « fumée » ou le fait de fumer. *Toutes les notes sont de la traductrice.*

découvrir pourquoi il avait été convoqué, et quelle était l'histoire à laquelle le sergent avait fait allusion – l'ennemi à qui sauver la vie.

Il n'imaginait pas que, d'ici peu, sa vie allait basculer.

4

Quand le destin se mêle de changer le cours de notre existence, il ne prévient pas – Jacob Roumann aurait l'occasion de s'en souvenir.

Le Sort ne s'encombre pas d'indices.

Il ne prévient pas, ou alors – pour ceux qui ont besoin d'un peu de mysticisme – il ne donne pas de signes. Cela arrive, c'est tout. Et quand cela arrive, cela prend la forme d'une césure. Pour le reste de sa vie, on est contraint à une distinction : l'avant, l'après.

En repensant à lui-même dans cette situation, à quelques minutes de l'événement qui allait tout changer, Jacob Roumann ressentirait de la bienveillance – comme celle qu'on nourrit à l'égard de l'innocence des enfants. Mais aussi de la nostalgie parce que, à la différence des malheurs, les faits heureux ne se produisent qu'une seule fois, ensuite il n'en reste que le regret.

Le commandant posa son rasoir et s'épongea le visage avec une serviette en lin. Tandis que son aide de camp l'aidait à enfiler sa veste, il expliqua :

— Cette nuit nous avons intercepté une patrouille d'alpins qui avançait en repérage sur le versant sud. Il y a eu un bref échange de coups de feu, mais nous avons pu les capturer. Ils sont cinq.

— Félicitations, monsieur, le flatta le docteur qui essayait de comprendre son rôle dans cette histoire. Y a-t-il des blessés ? Voulez-vous que je les examine avant qu'ils ne soient expédiés en camp de prisonniers ?

— C'est exclu. Nous avons besoin d'envoyer un signal fort aux Italiens, ainsi qu'à nos hommes, pour le moral. Demain, à l'aube, les prisonniers seront fusillés pour espionnage.

Jacob Roumann en eut la nausée.

— Désirez-vous que je m'assure de leur état physique afin qu'ils arrivent devant le peloton d'exécution sur leurs deux jambes ? demanda-t-il en tentant de réprimer son dégoût.

— Ils vont très bien.

Alors que diable le commandant attendait-il de lui ?

— Nous soupçonnons l'un des cinq d'être officier : les autres semblent dépendre de ses ordres. Mais nous n'en avons pas la certitude, parce qu'il ne porte pas de grade sur son uniforme.

— Je ne comprends pas : vous voulez lui extorquer des informations ?

— C'est un dur, il ne parlera pas.

Jacob Roumann était certain que le commandant avait longuement essayé, sans résultat.

— Quel est le plan, alors ?

— Nous pourrions l'utiliser pour l'échanger contre l'un de nos officiers prisonniers des Italiens.

— Vous faites allusion au lieutenant-colonel, j'imagine.

Le médecin saisissait parfaitement la stratégie du commandant : s'il réussissait à le libérer il obtiendrait la reconnaissance, peut-être une promotion.

— L'avez-vous déjà proposé à l'officier italien ?

— Bien sûr ! Mais cet idiot insiste, il affirme n'être qu'un simple soldat. Il veut jouer les héros en se faisant fusiller avec ses hommes. Nous allons devoir le convaincre de révéler son identité, ajouta-t-il après une brève pause, ses petits yeux méchants plantés dans ceux de Jacob Roumann.

Le docteur comprit enfin : il lui proposait un pacte dont lui aussi pouvait tirer des bénéfices.

Le commandant approcha son nez proéminent de son visage, pour ne pas être entendu du sergent.

— Pour un homme qui s'est fait piquer sa femme, et qui a donc perdu l'estime et le respect, il serait honorable de rentrer à Vienne avec une médaille... Cela ferait taire beaucoup de mauvaises langues.

Le ton mielleux et l'haleine fétide du commandant rendaient ces mots encore plus désagréables. Jacob

Roumann ne laissa rien transparaître, comme si son honneur n'avait pas été entaché.

— Pourquoi me croyez-vous capable de réussir ? se limita-t-il à demander.

— J'ai appris que vous parlez sa langue. C'est bien vrai ?

— Pourquoi moi ? insista Jacob Roumann.

Avec une grimace de mépris, le commandant répondit à voix haute afin que les autres entendent :

— Parce que vous n'avez pas l'air d'un soldat.

5

Il avait demandé à l'aide de camp une boîte de café prélevée dans la réserve privée du commandant. Il était certain que son supérieur ne lui en tiendrait pas rigueur, car il avait l'intention de s'en servir pour apprivoiser le prisonnier. Il se procura deux tasses en métal et un pot qu'il remplit de neige fraîche. Puis un morceau de lard, du pain noir, quelques biscuits à l'anis – durs comme de la pierre –, du papier à rouler et un paquet de tabac.

En rassemblant ces trésors, Jacob Roumann se préparait à son entretien avec l'Italien. Il n'avait qu'une vague idée de ce qu'il allait lui dire. Bien qu'au départ il ait accepté sa mission pour en remontrer au commandant qui le prenait pour un faible et un incapable, peu à peu le désir de réussir avait mûri. Pas pour la médaille ; d'ailleurs il était convaincu que cela ne changerait rien à sa réputation de cocu répudié – et d'homme diminué. Une raison primait sur les autres.

Il voulait sauver une vie. Au moins une, au milieu de toute cette mort.

Je peux soigner un soldat, parfois le guérir, se disait Jacob Roumann. *Mais ce n'est que reporter son trépas, voire en hâter un autre.*

Il n'avait jamais eu la possibilité d'empêcher une mort. Son rôle avait toujours consisté à exécuter des ordres, servir un dessein plus grand et plus terrible, auquel il ne pouvait s'opposer. Comme l'ouvrier d'une chaîne de montage qui ne sait pas réellement à quelle fin il contribue.

En revanche, là il pouvait changer les choses. Du moins *une* chose.

Avec un petit espoir de réussite, Jacob Roumann se dirigea vers la grotte où l'Italien était détenu. Il tenait dans ses bras les objets qu'il s'était procurés. Les tasses en métal tintaient en se cognant l'une l'autre et contre le pot à chaque pas. Le docteur se sentait étrangement euphorique.

Il allait découvrir l'identité du prisonnier.

6

Un lourd rideau vert dissimulait l'entrée de la grotte. Après s'être présenté aux soldats qui montaient la garde, Jacob Roumann l'écarta pour entrer et le referma derrière lui. Le vent protesta dans son dos, secouant l'étoffe. La petite flamme d'une lampe à pétrole oscilla quelques instants, projetant des ombres vacillantes tout autour. Il y avait une table et deux chaises déglinguées. Des caisses de bois qui contenaient des pièces d'artillerie lourde. Une odeur d'humidité et de paille moisie. Et le silence.

Au bout de quelques secondes, il le vit.

Le prisonnier était recroquevillé sur le sol, au fond de la caverne. Immobile, le dos contre la paroi rocheuse. La faible lueur jaunâtre éclairait à peine ses mains croisées devant lui et ses godillots couverts de boue. On devinait le reste.

Jacob Roumann posa ses présents sur la table.

— Bonsoir, lança-t-il dans un italien parfait.

Le prisonnier ne répondit pas.

— J'imagine que vous avez faim, j'ai apporté à manger. Et du café, aussi. D'ailleurs, je n'ai pas honte de vous l'avouer : c'est la raison principale de ma visite ; cela fait bientôt deux ans que je n'en ai pas bu.

Le prisonnier ne semblait pas intéressé. Jacob Roumann s'attendait à cette résistance. Il s'assit et retira lentement le couvercle de la lampe à pétrole. Il y posa le pot de neige pour la faire fondre à la chaleur de la flamme. Quand l'eau arriva à ébullition, il ajouta deux cuillères de café, mélangea le liquide et la poudre. Il versa la boisson dans les tasses, prit la sienne et, la tenant entre ses deux mains, en huma l'arôme, s'en laissant envahir avant de boire. Il poussa l'autre en direction du prisonnier.

— Mon commandant me méprise. Il m'a choisi parce que j'ai exactement l'air de ce que je suis : un médecin de quartier enrôlé dans une guerre. Parce que je ne suis pas en mesure de comprendre, peut-être par manque d'audace. Peut-être. Je crois que dans l'esprit de mon supérieur – tout à fait ordinaire, voire plat – vous vous ouvrirez plus facilement si vous avez l'impression de ne pas vous trouver en face d'un militaire. Ce qui va vous surprendre, j'en suis certain, et malgré mon manque total d'estime pour le commandant, j'espère qu'il a raison. Parce que, en toute franchise, je n'en peux plus de voir mourir des hommes pour si peu.

Le prisonnier ne réagit pas. Jacob Roumann observa la vapeur qui s'élevait de la tasse de l'Italien, qu'il n'avait pas touchée. Il aurait voulu voir son visage caché dans l'ombre, il n'entendait même pas sa respiration.

— Qui êtes-vous ? demanda-t-il sans attendre de réponse. Je vous le demande parce que je suis votre dernier espoir. En tant que médecin, c'est une question de déontologie. Je suis fatigué d'être le dernier espoir de tout le monde, ici. Après moi, il ne reste que Dieu. Vous comprenez ma responsabilité ?

Jacob Roumann s'arrêta net parce qu'il lui avait semblé entrevoir un sourire. C'était peut-être une sorte de mirage – pas de lumière mais d'ombre. Oui, quelque chose avait troublé un instant la consistance de l'obscurité qui enveloppait la tête du prisonnier. Une légère fêlure. Une incitation à continuer.

— Votre nom en échange de votre vie, c'est plutôt raisonnable, non ? Dans le fond, il s'agit de répondre à une simple question, dit-il d'un ton qui se voulait ironique, parce qu'il sentait que l'ironie pouvait constituer une clé. Vous retournerez dans votre camp et, moi, j'aurai une médaille. Allez... Je ne veux pas garder un mauvais de souvenir de cette journée. J'en ai déjà trop. Vous ne voulez tout de même pas mourir ici, au sommet du mont Fumo. En plus, aujourd'hui, c'est mon anniversaire.

— Il y en a trois.

Cette réponse le surprit. La voix du prisonnier, chaude et péremptoire, avait émergé de l'obscurité.

— Qu'est-ce que vous avez dit ?

— Trois, répéta le prisonnier. Il y a trois questions.

— Pourquoi trois ? s'empressa-t-il de demander, à l'image d'un pêcheur qui se hâte de lâcher un peu de mou par crainte de perdre le poisson qui vient de mordre.

— Parce que sans les deux autres, celle qui vous intéresse n'a pas de sens.

— Pas de problème, c'est très simple, alors ! s'écria Jacob Roumann qui ne comprenait pas où l'autre voulait en venir. Dites-moi quelles questions je dois vous poser, je vous les poserai !

— Je vois que vous avez apporté du tabac, ajouta le prisonnier en regardant la trousse et le papier à rouler posés sur la table. Je vous propose un pacte : vous me préparez une cigarette et, moi, je vous raconte tout. Vous êtes prêt à écouter mon histoire ?

Jacob Roumann était convaincu que l'Italien tramait quelque chose – peut-être était-ce une ruse. Il ouvrit la blague à tabac – en ces temps de pénurie, il était mélangé à de la sciure – et en remplit une feuille.

— Votre écoute est une condition *sine qua non.* Alors, vous me suivez ?

— J'écouterai votre histoire. Mais à la fin, aurai-je ma réponse ?

— Vous l'aurez.

— Vous me donnez votre parole ?

— Je vous donne ma parole.

Jacob Roumann s'approcha de l'homme et lui tendit une cigarette et une boîte d'allumettes. L'autre saisit le don, et ce fut comme si l'accord avait été scellé par une poignée de main solennelle. L'homme frotta une allumette contre la roche à côté de lui et la porta à ses lèvres, protégeant la précieuse flamme avec la paume de sa main. Jacob Roumann vit apparaître une partie de son visage, dans une corolle jaune. Une longue barbe, des rides autour des yeux, le profil d'un nez aquilin – rien d'autre.

— Cette histoire commence avec une allumette. La vie d'une allumette est brève et fragile, comme la nôtre, démarra l'Italien en soufflant sur la flamme ; son visage disparut dans un nuage de fumée. Un esprit noir monte au ciel et s'évanouit dans une odeur douceâtre. Le souvenir vit encore quelques minutes, dans le tabac.

Jacob Roumann se rassit en face de lui.

— Quelles sont les trois questions ?

— Qui est Guzman ? Qui suis-je ? Et qui était l'homme qui fumait sur le *Titanic* ?

7

Donc, commençons par le début. Qui est Guzman ?

Certains hommes ont des talents. Par exemple, à Noel, dans le Missouri, un homme savait faire tenir un bâton en équilibre sur le bout de son nez. Les enfants des pêcheurs de la Volga apprennent à nager avant de parler. Garko Vargas était fort pour esquiver les couteaux. Toutes les femmes de Garko Vargas savaient bien les tirer, les couteaux.

En regardant ces hommes, on se demande d'où vient leur talent. Et pourquoi ils en sont dotés, contrairement à nous.

Guzman avait un talent.

Fumer.

Quand je me souviens de lui, je me le représente toujours ainsi : les mains jaunes, les yeux vifs, en train de mâchonner et mordre des cigares aromatiques, confectionnés avec précision par ses doigts fins, humides d'huile, avides de feu, qui marmonnent paresseusement entre ses dents serrées, lui donnant des airs de locomotive à vapeur.

Ou bien il fume du tabac couleur de fonte, enroulé avec soin dans un papier si fin qu'on dirait de la soie, qui brûle comme de la poudre à fusil.

Ou encore il tire sur de longues cigarettes d'ivoire très fines – des femmes androgynes, sans formes. Je les ai vues parfois en équilibre sur ses lèvres, nobles et fières de la mort lente d'une petite braise.

Mais ce n'était pas tant le fait de fumer. C'était ce qu'il y avait autour de cet acte qui le rendait spécial. Enfermé dans ce geste, il y avait un sentiment. Un frisson électrique qui entraînait *tous* les sens. Parce que tout ce que Guzman fumait avait une histoire. Pendant l'acte, il la revivait, la répétait et, parfois, la racontait.

Il goûtait les émotions, et il était ému.

— Qu'est-ce que c'étaient, ces histoires ? demanda Jacob Roumann avec insistance.

— Un instant, j'y viens, répondit le prisonnier.

8

Guzman avait douze ans quand sa mère décida de le transplanter à Marseille. Ils suivaient son père.

Quand ils étaient jeunes, il lui avait fait la cour pendant près de dix ans. Elle ne voulait rien savoir, elle refusait ses avances. Elle n'aimait pas son aspect. Elle n'aimait pas ses manières. Elle n'aimait pas la couleur de ses yeux – cela peut sembler un détail, mais pour certaines personnes la couleur du regard est d'une importance vitale.

Parce que c'est avec ces yeux que *je* me regarderai pendant le reste de ma vie. Les yeux de l'être qui nous aime nous servent de miroir.

Pour la convaincre qu'il était l'homme de sa vie, le père de Guzman essaya tout. Chaque jour, il lui offrait une rose. Il lui écrivait de longues lettres pleines de compliments. Il commandait des vers à des poètes, pour elle. Mais aucun geste romantique ne réussissait à la faire changer d'avis. Jusqu'à ce qu'il ne lui restât plus qu'une seule option.

Arrêter.

Un beau jour, la rose habituelle n'arriva pas. Cette semaine-là, le facteur n'apporta aucune lettre. Les poésies qui parlaient d'elle semblèrent soudain se référer à une autre.

La mère de Guzman se demanda la raison de cette étrange retraite, et elle en souffrit. Soudain orpheline de ce romantisme importun, elle s'aperçut que l'auteur faisait désormais partie de la routine de ses journées, la contraignant à s'attacher en silence. D'un coup, la couleur de ses yeux n'eut plus d'importance, la jeune fille découvrit qu'elle ne pouvait se passer de lui.

À la longue, la ténacité avait porté ses fruits. Elle accepta de l'épouser et d'avoir un enfant avec lui.

Quand son époux quitta la maison – sans un mot, un jour de février –, elle jura à Guzman de le retrouver et de le ramener.

C'était une femme menue et têtue.

Ainsi, ils partirent à sa recherche. Ils le retrouvèrent très vite, à Turin, mais dès qu'il apprit que sa femme et son fils étaient en ville, il s'enfuit. Ils le repérèrent à nouveau, mais seulement pour quelques heures, à Bruxelles. Ils le ratèrent de peu à Francfort. À Londres, on peut dire qu'ils le frôlèrent. Et ainsi de suite, à travers la moitié de l'Europe.

Dans tous les domiciles abandonnés en hâte par son mari, la mère de Guzman trouvait l'indice d'une présence féminine. Une fois, c'était un foulard. Une autre, un flacon de parfum vide. Une robe de soirée dans une armoire. Du rouge à lèvres sur un coussin.

Son obsession, générée par l'idée de ne pouvoir savoir à quoi ressemblait la femme qui lui était préférée, était plus puissante que la rage d'avoir été abandonnée.

Avec le temps, il devint de plus en plus habile à dissimuler ses traces. La mère de Guzman apprit alors à le talonner. Comme le chasseur instruit par sa proie, elle était désormais à même d'anticiper ses moindres mouvements.

Chaque fois, ils s'installaient dans une nouvelle ville, cherchaient un appartement et démarraient les recherches. La femme était habile pour recueillir des informations, elle avait mis sur pied une méthode. Guzman était inscrit dans une nouvelle école, se faisait de nouveaux amis. Cela durait peu. Un mois ou deux, puis tout recommençait.

Au début de la chasse à l'homme, quand Guzman avait sept ou huit ans, il ne comprenait rien de ce qui se passait. Il prenait ça pour une sorte de jeu. Il trouvait cela fantastique de changer de maison, d'amis et de ville d'un jour à l'autre. Il ne se sentait pas différent des autres enfants. Pourtant, il l'était.

Malgré tout, à Marseille tout allait changer.

9

Ils arrivèrent en ville parce qu'aux dernières nouvelles le fugitif se trouvait dans le sud de la France. Comme je l'ai déjà dit, à l'époque Guzman avait douze ans. Un âge étrange fait de pulsions mystérieuses, d'instincts indéchiffrables, de curiosités inassouvies. Éléments qui, en général, nécessitent la présence d'une figure paternelle. L'objet de son tourment était toujours le même – bizarrement, jusqu'à peu de temps auparavant, il n'imaginait même pas s'y intéresser un jour.

Les femmes.

La maîtresse de son père, l'adversaire que sa mère avait assemblée comme une mosaïque avec les souvenirs ramassés dans toute l'Europe, pouvait constituer une source de réponses valables pour le jeune Guzman. Toutefois, hormis quelques notions sur l'évolution de la *haute couture**, ces vestiges féminins ne lui apprirent rien.

Il trouva l'inspiration le jour où il découvrit, de façon inattendue, l'antre sombre de Madame Li.

Un après-midi de printemps, le jeune Guzman, désœuvré, flânait sur la Canebière en direction du Vieux-Port. Il aimait se promenait sans but. Son esprit était envahi par toutes sortes de pensées, mais, comme souvent à cet âge, il ne savait qu'en faire.

Les usines de savon vomissaient dans le ciel de la fumée que le vent exportait dans cette partie de la ville. L'air était chargé d'une odeur puissante. Un orage s'annonçait. La pluie se mit à tomber alors que le soleil brillait encore dans un coin du ciel. Les gouttes étaient chaudes et lourdes. Guzman tendit la main et découvrit qu'elles étaient également visqueuses. Il se dit que cela devait être à cause des émanations des savonneries – de l'huile de coprah ou de palme avec la soude, qui se mêlait à l'eau de pluie. Très vite, la rue fut recouverte d'une fine couche de mousse. Cela arrivait parfois, à Marseille. Et tandis que les carrioles tirées par des chevaux glissaient et que quelques passants finissaient le postérieur par terre, Guzman, poussé par une témérité adolescente, retira ses chaussures, recula d'un pas et s'apprêta à s'élancer… quand le vent se leva. Un sirocco

* En français dans le texte, comme tous les passages en italique suivis d'un astérisque.

brûlant. Les rafales ouvraient des brèches dans la pluie. Guzman s'arrêta net et vit passer au-dessus de lui un esprit blanc qui flottait, porté par les courants d'air.

Un fantôme de dentelle. Une petite culotte.

Hypnotisé, il la suivit. Il s'enfonça dans les ruelles en veillant à ne pas perdre de vue son précieux guide, certain que l'invitation le concernait personnellement. Jusqu'à ce que, dans une cour fermée, à une dizaine de mètres de lui, le sous-vêtement soit attrapé par un bâton. Guzman grimpa sur le mur pour regarder de l'autre côté.

La cour était une toile d'araignée de poteaux et cordes tendues, qui soutenaient un défilé de linge mis à sécher à l'arrière d'une laverie. Une femme filiforme, vêtue de soie rouge, les cheveux noirs relevés en chignon, tenait entre ses mains le bâton et la culotte que Guzman avait escortée jusque-là. Elle se retourna, comme si elle avait senti que le jeune garçon se tenait derrière elle. Elle était chinoise.

— Les petites culottes aiment s'enfuir, dit-elle. Mais elles reviennent. Elles reviennent toujours.

Guzman, incertain, acquiesça.

— Les chemises sont mieux élevées. Les guêtres, trop timides. Les cols amidonnés, trop paresseux.

La femme parlait d'un ton clair, mais qui prenait parfois une tonalité profonde, abyssale. Comme si deux voix parlaient ensemble. Une masculine, l'autre féminine.

Le jeune Guzman observa le visage ovale de la magnifique Orientale. La pluie entamait à peine la lourde couche de maquillage qui le recouvrait. Ses yeux, ses lèvres, ses pommettes, semblaient peints. Mais en dessous, on devinait un duvet sombre.

— Alors, tu veux un travail d'homme à tout faire ? lui proposa Madame Li, le plus célèbre hermaphrodite de Marseille.

10

La laverie de Madame Li – un enfer de vapeur qui sentait non pas le soufre mais la vanille – était la plus fréquentée de la ville. Les riches Marseillais étaient ravis qu'un hermaphrodite s'occupe des preuves de leur luxure. Hommes et femmes comptaient inconsciemment sur sa solidarité : dans la mesure où elle appartenait aux deux genres, ils ne craignaient pas d'être jugés. Leur linge sale était entre de bonnes mains.

On racontait que cette étrange créature était née dans un village de paysans, dans la campagne chinoise. On avait besoin de bras d'hommes pour travailler les champs, aussi il arrivait souvent que les filles soient supprimées à la naissance – généralement noyées dans une bassine par la sage-femme elle-même. Mais les parents de Madame Li, face à ce tour que leur jouait la nature, ne surent quoi faire. Ce doute suffit à lui sauver la vie.

On disait qu'elle avait été emmenée en Europe par un marchand belge d'agrumes pour parfums, qui l'avait découverte par hasard lors d'un voyage. Elle avait treize ans, et il n'avait eu aucun mal à convaincre son père – qui la percevait comme une punition divine et inexplicable – de la vendre.

On disait aussi que le marchand belge en avait fait l'attraction principale d'un cabaret parisien très en vogue. Les plus médisants ajoutaient qu'elle avait été conduite à Marseille par son amour simultané pour un magistrat et sa femme. Madame Li se partageait parfaitement entre les deux, parce que telle était sa nature. Mais les amants, au départ intrigués par ce jeu ambigu, s'étaient mis à désirer une exclusivité impossible. Comme aucun des deux ne pouvait revendiquer la pleine possession de cet être magnifique et multiple, ils avaient fini par devenir ennemis. Et ils s'étaient mutuellement assassinés.

Pourtant, je l'ai dit, il s'agissait de mauvaises langues. Les gens préfèrent attribuer aux autres leurs propres perversions.

En revanche, je pense pouvoir affirmer avec certitude que ce fut la seule fois de sa vie que Guzman travailla. Ce qui le gratifiait n'était pas les quelques pièces qu'il recevait en pourboire chaque fois qu'il livrait un paquet de linge propre au domicile d'un client, mais la possibilité d'entrer en contact avec la lingerie.

Les sous-vêtements féminins étaient un univers d'odeurs inavouables, sauvages, où laisser se promener son imagination, les yeux fermés. Il avait accès à la composante animale de l'humain. Il pouvait donner libre cours à ses fantasmes adolescents, imaginant des étreintes et des caresses secrètes.

Il expérimentait le plaisir obscur de pécher par l'odorat.

Guzman était tellement intégré – et heureux – dans cette nouvelle réalité, qu'il craignait que sa mère ne l'entraîne une nouvelle fois dans cette sorte de chasse à l'homme qu'était devenue leur existence. Pour le moment, Marseille restait le dernier endroit où son père avait été aperçu, ce qui lui assurait une certaine tranquillité.

Il perdit sa sérénité le jour où Madame Li lui plaça un rouleau enveloppé de papier calque dans les bras. Il contenait une robe de soirée en soie. Il devait le remettre à un homme entre deux âges dont il connaissait trop bien le nom, bien qu'il ne se rappelât plus son visage.

Portant son fardeau dans les rues de Marseille – et un autre, bien plus lourd, dans son cœur –, Guzman se rendit à l'adresse indiquée. Pendant toutes ces années, savoir où était son père ne l'avait jamais vraiment intéressé. Il ne l'avait jamais avoué à sa mère, craignant sa réaction. Il s'était contenté de la suivre.

Pourtant, il avait maintenant découvert la seule chose qu'il n'aurait jamais voulu savoir : le lieu où se cachaient l'homme à qui il devait la vie et sa maîtresse.

11

Sur le chemin de l'Estaque, le quartier des artistes au nord de la ville, Guzman réfléchissait à des scénarios possibles.

C'est peut-être elle qui viendra m'ouvrir, pensait-il. Je lui remets le paquet et je m'en vais. Et si c'est lui qui ouvre, il ne me reconnaîtra pas. C'est impossible, ça fait trop longtemps, j'étais tout petit. Je prendrai mon pourboire et je ferai comme si de rien n'était. Chacun sa route.

Il arriva dans un immeuble de deux étages à la façade ornée de fresques mauresques insolites. Il monta au second et frappa à une porte verte. L'homme qui lui ouvrit, cheveux longs, barbe hirsute, portait une veste de chambre. Il fumait.

Quand il vit Guzman, il se raidit. Il lui avait fallu moins d'une seconde pour le reconnaître. Ils restèrent immobiles sur le seuil pendant une demi-minute.

— Allez, entre, mon garçon.

Guzman se retrouva dans un appartement de deux pièces en désordre. De l'eau bouillait dans une casserole en étain posée sur un poêle à charbon. Un œuf y était immergé. Dans un coin, à côté du lit défait, les toilettes se résumaient à un pot de chambre et une cruche en fer-blanc émaillé. Des cendriers débordant de mégots traînaient çà et là. L'homme passa devant lui pour aller libérer deux chaises des livres qui y étaient entassés.

— Assieds-toi.

Le paquet toujours dans les mains, sans un mot, Guzman prit place en face de son père.

— Tu es grand. Quel âge as-tu ?

— Douze ans, répondit-il sans manifester la moindre émotion.

— Bien.

L'homme ne savait comment poursuivre. Il posa ses mains sur ses genoux et regarda dans le vide pendant quelques secondes.

— Tu sais, ta mère… Ce que j'ai fait doit te sembler cruel, mais je lui ai sauvé la vie.

En entrant et en regardant autour de lui, Guzman avait compris qu'il n'y avait pas d'autre femme dans la vie de son père. Il n'y en avait jamais eu.

— Réfléchis : ta mère n'a jamais vieilli. Je ne le lui ai pas permis. Elle est entrée en compétition avec une femme imaginaire qui était toujours plus belle et plus jeune qu'elle. Pour rester à la hauteur, elle a été contrainte de s'améliorer chaque jour, de ne pas se laisser aller, comme font celles qui ont atteint leur but.

— Quel but ?

— Posséder une autre personne.

Mais Guzman ne saisissait pas le sens de ces propos.

— Tu vois, mon fils, j'ai aimé ta mère dès le premier instant, je l'ai voulue plus que tout au monde. Puis elle a capitulé et nous nous sommes mariés, nous promettant un amour éternel, raconta-t-il en riant. Quelle folie, tu te rends compte ? Comme si on pouvait promettre l'amour, éternel, en plus ! Je la possédais et elle me possédait, reprit-il sérieusement. Mais ça ne veut pas dire que nous nous appartenions. C'était le contraire. Avec les noces, nous nous sommes mis d'accord sur la propriété réciproque. C'est pour cette raison que je me suis enfui. Je lui ai fourni une raison de me vouloir encore. Et à moi de la vouloir. Au début de notre histoire, c'était moi qui lui donnais la chasse. Avec le mariage, nous avons arrêté. Mais il n'y avait pas de raison à cela. Alors j'ai rétabli les choses, maintenant c'est elle qui me pourchasse. Il est éreintant d'échapper à l'amour, ajouta-t-il après une pause. Au moins autant que de le poursuivre.

En effet, la première impression de Guzman avait été que son père semblait fatigué.

L'existence misérable à laquelle il était réduit avait une explication. Cet homme avait choisi la pauvreté pour sauver ce en quoi il croyait. Les vêtements à la mode, les apparats et les parfums coûteux dont il gâtait sa prétendue maîtresse ne visaient qu'à alimenter l'illusion. Parce que l'apparence était tout ce qui lui restait.

L'homme posa une main sur l'épaule de Guzman.

— Le désir est notre seule motivation pour avancer au milieu de toutes ces horreurs. Nous avons tous besoin d'une passion, ou d'une obsession. Cherche la tienne. Désire-la fort, et fais de ta vie ta raison de vivre.

Cette leçon inattendue déstabilisa Guzman. C'était comme si son père l'avait préparée de longue date. Comme s'il attendait son fils. Cette idée guérissait un peu la blessure de l'abandon.

— Comment puis-je savoir si mon obsession ou ma passion est la bonne ? demanda alors le jeune homme à son géniteur.

— Si tu la racontes à quelqu'un et qu'il la trouve intéressante, alors tu sauras que tu n'as pas vécu pour rien. Rappelle-toi, mon fils : ce sont les histoires qui donnent de la saveur à la vie.

L'homme se leva et alla fouiller dans le tiroir d'une coiffeuse. Quand il se retourna vers lui, il tenait à la main une épingle à nourrice sur laquelle était enfilé un mégot de cigarette, trop court pour qu'on puisse à la fois le tenir entre deux doigts et tirer dessus.

— Tu as déjà fumé ? lui demanda-t-il.

Guzman secoua la tête.

Son père vint s'asseoir à côté de lui et s'apprêta à allumer le bout noirci du mégot avec un briquet, mais il interrompit son geste pour expliquer :

— Marseille a été fondée par des marins grecs, tu le savais ? Eh bien, leur dernier descendant habite au Vieux-Port, c'est une pute unijambiste, son nom est Aphrodite... Si tu savais comme elle est belle et à quel point les hommes la désirent, expliqua-t-il en levant les yeux au ciel. Son infirmité devrait les faire fuir, mais c'est justement grâce à cela qu'Aphrodite a dû apprendre à être la meilleure amante qu'ils aient jamais eue.

Il sourit, puis activa la flamme et alluma la pointe de papier.

— Ce mégot provient d'un cendrier de chez elle. Courage, dis-moi quel goût il a...

Le jeune Guzman saisit l'épingle à nourrice entre deux doigts et la porta à ses lèvres. Il aspira. Il toussa fort.

— Encore une fois, l'exhorta son père.

Il répéta le geste, cette fois en fermant les yeux. Soudain, il repensa à tous les effluves de lingerie féminine qu'il avait reniflés dans la laverie de Madame Li. Les odeurs avaient maintenant également une saveur, parce que ce tabac avait le goût de femme, de luxure et de bordel.

— Il a le goût de... elle.

Guzman avait écarquillé les yeux comme devant une révélation. Son père ne put s'empêcher de rire, ce qui le vexa.

— Je ne me moque pas de toi, le rassura-t-il. C'était la seule façon de t'expliquer. Ce mégot vient du port. Il a été jeté par un marin débarqué d'un bateau de pêche. Mais il a suffi que je te raconte l'histoire d'Aphrodite pour qu'il prenne le goût spécial que ton cœur avait décidé de lui attribuer. C'est le cœur qui commande les sens, mon fils, annonça-t-il en lui caressant la joue. Maintenant que tu connais la vérité, goûte à nouveau et dis-moi quel goût il a.

Guzman s'exécuta.

— Poisson.

Jacob Roumann observa la cigarette qu'il tenait entre ses doigts. Il avait oublié qu'elle était composée de tabac mélangé à de la sciure.

Dans l'ombre, le prisonnier laissa échapper un petit rire.

— Bien, docteur, je vois que vous commencez à comprendre, déclara-t-il avant de poursuivre sur un ton alléchant : Je parie que maintenant vous voulez savoir la suite…

12

Il était 22 heures passées quand Jacob Roumann découvrit qu'il n'y avait plus de café. Il avait tout bu, pendant que le prisonnier fumait. Il compta cinq cigarettes par personne.

— Inutile de dire que la première fois que Guzman fuma fut la dernière fois qu'il vit son père.

— Cela signifie que ses parents ne se sont jamais retrouvés ? demanda le docteur déçu.

— Je ne sais pas. Guzman concluait toujours ainsi cette histoire.

Comme à chaque fois qu'il racontait une histoire, il avait l'habileté de la terminer au moment précis où la braise de ce qu'il était en train de fumer s'éteignait.

Jacob Roumann resta interdit. Pendant un instant la rationalité prit le dessus, sensation qui lui déplut.

— L'obsession folle de sa mère, la pluie de savon à Marseille, Madame Li, un père fugitif : tout cela n'est-il pas un peu trop hasardeux ?

— C'est justement ça qui est beau. Quand il racontait ses histoires, Guzman évoluait sur une frontière très subtile. On ne savait jamais où s'achevait la vérité et où commençait la légende. On pouvait passer au crible chaque phrase, chaque mot, pour obtenir une histoire plausible mais, au bout du compte, peu stimulante. Ou bien on acceptait tout en bloc, comme ça venait. On pouvait se contenter du rôle de spectateur sceptique qui, par pur orgueil, n'accepte pas d'avoir été sous le charme. Ou bien s'abandonner à l'histoire avec son âme d'enfant, jusqu'à en faire partie.

Cette perspective consola Jacob Roumann de sa propre rationalité. Il faisait sans aucun doute partie de la deuxième catégorie.

— Je me rappelle mon ami Guzman en train de goûter les mégots trouvés au port, enfilés sur une épingle à nourrice, courts et intenses, aux saveurs d'autres bouches. Il disait qu'ils lui évoquaient son père.

Jacob Roumann voulut en savoir plus. Il se sentait pris d'une curiosité inexplicable. Dans le fond, il ne pouvait encore répondre à aucune des trois questions qui étaient à l'origine de ce récit – *Qui est Guzman ? Qui suis-je ? Et qui était l'homme qui fumait sur le* Titanic *?*

La dernière, surtout, l'intriguait. Il regarda dans la blague à tabac – bientôt, ils se retrouveraient à sec. Dans cette situation, la possibilité de fumer semblait une condition nécessaire pour poursuivre l'histoire. Il avait l'impression que c'était le tabac qui fournissait, en plus de l'atmosphère adéquate, l'énergie nécessaire au mécanisme de la narration.

Il décida de prendre congé pour s'en procurer d'autre, mais avant qu'il puisse agir le sergent fit son entrée et prononça la phrase rituelle :

— Docteur, on a besoin de vous.

Cette fois, le ton était grave.

Dans son expérience de médecin, Jacob Roumann avait appris à reconnaître cette inflexion de voix, de même qu'il savait distinguer une arythmie cardiaque d'un rythme respiratoire normal. Il se leva et suivit le sergent sans poser de question.

13

Il s'agissait d'un sous-officier. Ce n'était pas une surprise, Jacob Roumann s'y attendait d'un jour à l'autre. Le champ de bataille n'était pas en cause, cette fois, mais la pneumonie.

Il avait réussi à le maintenir en vie au moyen de compresses chaudes sur le dos et sur le thorax, ou bien d'inhalations d'huile de camphre. Mais il savait que ce n'étaient que des palliatifs. Dernièrement, l'état du patient s'était aggravé, il avait de plus en plus de mal à respirer.

Le médecin lui posa une main sur le front, avec délicatesse, comme si une simple pression avait pu le briser. Il était brûlant. La fièvre le consumait comme un feu de paille.

— Il est en train de mourir, déclara sentencieusement le sergent, qui faisait partie des gens qui ne se contentent pas des impressions, qui ont besoin de donner à la réalité la consistance des mots.

Jacob Roumann ne répondit pas. Il se demanda intérieurement si ce jeune homme était prêt à s'en aller. Si, comme lui avait dit le prisonnier en rapportant les mots du père de Guzman, il avait « fait de sa vie sa raison de vivre ».

Le sous-officier était installé dans une zone réservée de la tranchée. La justification de son isolement, acceptée sans protester par les autres soldats, était qu'à l'abri du terre-plein il serait mieux protégé du vent qui fouettait la montagne. Mais Jacob Roumann, comme tous les autres, savait que c'était une excuse. En réalité, personne ne supporte la vue d'un moribond s'il meurt à cause d'un ennemi sur lequel on ne peut tirer – la maladie. Le combat est perdu d'avance.

La respiration difficile du moribond dissimulait le râle qui accompagnait ses dernières minutes sur la terre.

À ce moment-là, le commandant arriva. Escorté de son aide de camp, arborant son air martial habituel, ignorant le soldat mourant, il s'adressa au médecin de guerre :

— Vous avez passé plus de deux heures dans la grotte avec le prisonnier, donc je ne me trompais pas quand j'ai imaginé qu'avec vous il se déciderait à parler, dit-il avec une vanité exagérée.

— En effet, nous avons entamé un dialogue, mais je ne sais pas où cela nous mènera, admit Jacob Roumann sans le contrarier.

— Ne vous perdez pas en bavardages inutiles, docteur. Nous n'avons pas de temps à perdre en frivolités.

— En fait, si, nous l'avons. Jusqu'à l'aube, c'est ça ? C'est bien le terme que vous aviez fixé ?

Il s'affirmait, ce qui était inédit. Maintenant qu'il avait ouvert une brèche dans l'obstination du prisonnier, il sentait qu'il pouvait se permettre d'adopter une attitude différente face à son supérieur. Au moins jusqu'au lendemain. Parce que, en vérité, Jacob Roumann n'était pas certain de soutirer nom et grade à l'Italien. Il avait sa parole, bien sûr. Mais il devait reconnaître qu'il ne savait pas vraiment pourquoi le prisonnier l'avait choisi, lui, pour lui raconter son histoire.

— Faites-le parler, répéta le commandant. Vous en êtes directement responsable. Si je découvre que vous fraternisez, je...

Le moribond l'interrompit ; il parla. Tout le monde le regarda mais personne n'avait compris.

— Attendez, intima Jacob Roumann au commandant qui allait poursuivre.

L'autre sembla agacé, mais le médecin l'ignora et se pencha sur son patient, approchant son oreille de ses lèvres.

— Une couverture en laine, répéta-t-il avec un filet de voix.

Le docteur fit signe au sergent, qui en ajouta une à la lourde pile qui le couvrait déjà. Le sous-officier ne bougea pas. Ses yeux bleus brillaient de compassion pour le monde qu'il quittait. La vie perdait un autre témoin, et ceci semblait attrister le mourant plus que sa propre mort. Il compta sa dernière seconde, puis expira.

Jacob Roumann lui ferma les yeux avec la caresse habituelle, gentiment, puis se tourna vers son supérieur.

— Possédez-vous une tabatière ?

— Certainement, répondit le commandant scandalisé, mais en quoi cela vous regarde-t-il ?

— Vous devez me la remettre, cela fait partie de la stratégie.

— Quelle stratégie ?

— Cher commandant, demain matin, vous aurez bien plus qu'un nom et un grade.

Au moment où il prononçait ce mensonge, Jacob Roumann comprit que, au fond, il se moquait des conséquences.

Le commandant lui lança un regard torve avant de sortir de la poche interne de sa veste une tabatière en ivoire qu'il tendit au docteur.

— Dans une heure vous viendrez me tenir au courant de la situation.

Jacob Roumann esquissa une protestation.

— C'est un ordre.

Il fit demi-tour et s'en alla, suivi par son aide de camp et le sergent.

Resté seul avec le jeune cadavre, le docteur glissa la tabatière dans sa poche et prit son agenda 1916 à la couverture noire. Quand il l'ouvrit, quelque chose, conservé entre les pages, tomba. Une fleur de papier. Jacob Roumann la ramassa et la remit dans le carnet. Il relut le dernier élément de la liste, qui datait du 14 avril :

20 h 07. Simple soldat : « Cela apparaît. »

Puis il regarda sa montre et écrivit une nouvelle ligne, juste en dessous.

22 h 27. Sous-officier : « Une couverture en laine. »

Jacob Roumann relut les mots. Il acquiesça, satisfait. Cela avait un sens.

14

Il partit retrouver le prisonnier avec une étrange excitation. La guerre a un avantage. Elle nous fait apprécier les petites choses. Comme cela s'était produit une vingtaine de jours plus tôt, quand un aigle royal s'était élevé au-dessus des tranchées, caressant de son ombre les visages des soldats qui avaient levé les yeux vers le ciel. Un instant, le temps s'était arrêté et tous avaient admiré en silence les évolutions du magnifique animal – insensible aux misérables hommes sous lui et à leur guerre inutile. Pendant quelques minutes, les cœurs s'étaient emplis d'une émotion différente. Ce n'était ni de l'envie pour ce vol libre ni du regret. Seulement de la joie.

Ainsi, pour Jacob Roumann l'histoire du prisonnier était une sorte de passage secret vers une réalité différente. Une façon de s'évader de cette tranchée, de la guerre.

Arrivé à la grotte, il le trouva là où il l'avait laissé, assis par terre, assoupi. Jacob Roumann ne le réveilla pas, malgré son envie de connaître la suite de l'aventure. Il s'assit à la table et ouvrit la tabatière en ivoire du commandant. Un parfum huileux et dense monta de la douce mixture marron. Il confectionna de nouvelles cigarettes en prévision de la longue nuit qui les attendait.

— Il ne faut pas que le papier contienne de paille, dit soudain le prisonnier. De la fibre de coton, au pire. Le mieux, c'est le papier de riz. Et il ne faut pas manipuler le tabac, il faut le masser du bout des doigts. Pendant une demi-minute. Une demi-minute exactement.

— Éclairez-moi, je vous en prie.

— L'allumette doit être de palissandre, ce n'est pas un hasard si on l'appelle « bois de rose », c'est à cause de son parfum. La tête ne doit pas contenir de soufre, qui a une mauvaise odeur, mais du phosphore blanc, ainsi elle s'éteint dans un nuage de douceur.

Jacob Roumann écoutait, captivé, les petits détails d'un plaisir paresseux.

— Il ne faut pas aspirer la première bouffée, elle sert à donner le goût à la bouche. Il faut la souffler par le nez, pour préparer toutes les voies à accueillir la fumée.

— C'est Guzman qui vous l'a appris ?

— Il avait élevé au rang d'art ce qui pour les autres n'est qu'une distraction, un vice. Pour lui, fumer était une liturgie avec ses règles, ses significations. Il choisissait avec soin ce qu'il allait fumer. Puis il le préparait avec de petits gestes patients et rituels, sortant tout le nécessaire.

Le prisonnier ouvrit la main pour demander une autre cigarette. Jacob Roumann la lui tendit.

— Parlez-moi encore de lui.

— Comme je vous l'ai dit, Guzman a passé son enfance à suivre les déplacements insensés de sa mère. Il ne le savait pas encore, mais cette bizarrerie lui était entrée dans le sang. Il n'arrivait pas à se fixer quelque part, il ignorait ce que signifiait prendre racine. Par conséquent, sa passion – ou son obsession – était également conditionnée, expliqua le prisonnier qui alluma la cigarette, aspira et recracha un nuage gris. Guzman avait fumé le tabac de Mysore en Inde, le Latakia en Syrie et, au Mexique, les feuilles de l'Arbre à venin. Au Maroc, le narguilé d'un jeune sultan, et le calumet avec les Peaux-Rouges, évoquant les âmes, libérant les esprits... Mais il conservait un cigare de vanille. *Un cigare d'argent.* Ce cigare avait plus d'un siècle.

15

Datant du XVIIe siècle, le cigare le plus précieux de Guzman avait d'abord appartenu à un capitaine portugais, un marchand d'épices nommé Rabes, qui l'avait fait préparer exprès pour lui par un esclave d'Afrique qui connaissait les herbes et les parfums.

Rabes l'avait caché dans une boîte sous le timon et disait que ce cigare serait sa seule consolation si son navire coulait parce que lui, en bon capitaine, il coulerait avec. Le serrant entre ses mâchoires, il aurait arboré un sourire railleur pour affronter la mort.

Rabes et son équipage furent responsables du naufrage de cinq vaisseaux, deux caravelles et trois voiliers, mais aucun d'entre eux n'y laissa sa vie. Surtout pas Rabes, qui avait été le premier à se jeter à l'eau, accroché à un tonneau d'épices. Sa boîte à cigares sous le bras, bien entendu.

Une fois, il n'en eut pas le temps. Cela se passa en Indochine, lors d'une terrible tempête avec des vagues de sept mètres de haut.

Le pauvre Rabes ne put même pas profiter de son dernier cigare. Et ce cigare – ironie du sort – fut le seul rescapé du naufrage. Bien protégé dans son écrin, il navigua au sec et au chaud pendant un siècle, pour finir bien plus tard encore entre les mains de Guzman, qui l'acheta à un brocanteur viennois.

Certains racontent que le rude Rabes, peu avant de mourir, ayant pressenti que ce naufrage, à l'inverse des autres, serait définitif, dans un élan poétique vers sa propre mort, avait écrit ces mots dans le journal de bord : *Nous coulons, allez, la mort nous appelle !*

Mais d'autres – de façon plus réaliste – affirment en revanche que la véritable phrase était : *Nous coulons de nouveau, putain de malchance !*

Guzman racontait l'histoire de la tempête qui engloutit Rabes et son équipage, et ses mots prenaient la forme des vagues. En l'observant avec attention, en l'écoutant, on pouvait voir dans ses yeux ce vaisseau fendre une mer d'huile, sa proue comme une lame.

— La tempête ! Il ne peut pas y avoir eu de tempête ! disait-il.

Il avait peut-être raison parce que, quand le navire de Rabes s'engagea dans le golfe du Bengale depuis Akyab, la deuxième lune de l'été venait de commencer, en cette année 1748. Or tous les marins savent que l'été, avec la lune basse, il n'y a pas de tempêtes dans le golfe du Bengale...

À ce moment-là, Guzman laissait son auditoire s'imprégner quelques instants de cette information. Puis il reprenait son récit. Dans les auberges des ports indonésiens, on racontait une légende sur des naufrages inexplicables.

Des tempêtes sans vent.

Selon certains, de nuit, par un calme plat, la mer s'agitait sans raison. *Sans vent.* Peu à peu, elle devenait impétueuse.

Toujours selon eux, cet étrange phénomène n'était rien d'autre que la manifestation des âmes inquiètes et maudites des marins morts lors d'affrontements entre pirates qui sortaient soudain de la mer, sous la forme de vagues gigantesques, pour engloutir les navires de passage, sans espoir de salut.

Naturellement, les marins portugais savaient bien que les tempêtes sans vent n'existaient pas et que la légende avait été inventée par les navigateurs locaux pour décourager leurs concurrents de transporter des épices.

Seul un homme croyait à cette histoire : Rabes. Et sa décision de ne pas lever l'ancre était ferme, quand un armateur lui commanda une expédition.

Pour autant, il ne faut pas avoir une mauvaise opinion de Rabes. Ce n'était pas un couard, il était seulement un peu rétif à cause des vicissitudes auxquelles son existence périlleuse l'avait soumis. D'abord, il était quasi sourd et il lui manquait un œil : aussi attirait-il peu l'attention des femmes. Ensuite, il ne mangeait que de la viande de perroquet. Or, on le sait, quand toute sa vie on ne mange que de la viande de perroquet, tôt ou tard, on attrape un ulcère.

Quoi qu'il en soit, son équipage, alléché par les gains promis par l'armateur, parvint à convaincre son capitaine obstiné : avec un coup sur la tête, on envoya Rabes dormir dans la cale.

Quand l'un des mousses alla le réveiller, le ciel menaçait, sombre. La nuit et la mer étaient noires, elles semblaient ne former qu'un. Personne n'aurait su dire où finissait l'une et où commençait l'autre. Les vagues étaient énormes, tonnantes, effrayantes. *Et pas de vent.*

Aucun souffle ne gonflait les voiles, ne s'engouffrait entre les mâts, ne sifflait entre les cordages.

Rabes monta sur le pont et y trouva son équipage qui l'attendait. Le capitaine regarda ses hommes, l'un après l'autre, dans les yeux. Ses marins le regardèrent, tour à tour, dans son unique œil. Il fallut quelques instants à Rabes pour comprendre que ce n'était pas lui qu'ils fixaient, aussi il se retourna. Derrière lui, dans l'obscurité, apparut le plus grand navire à canons qu'on ait jamais vu.

Des pirates.

Les boulets tirés par les énormes canons de nickel faisaient bouillir l'eau et soulevaient la mer en de gigantesques vagues qui résonnaient, dans une tempête *sans vent.*

Jacob Roumann se tenait le ventre, il avait mal à la mâchoire : il n'avait pas ri autant depuis longtemps. Et le prisonnier avec lui. Les éclats de rire de l'un alimentaient ceux de l'autre, et ils n'arrivaient pas à s'arrêter.

Quand un des soldats qui montaient la garde, attiré par le bruit, passa sa tête à l'entrée de la grotte, le docteur et l'Italien, pas du tout intimidés, le trouvèrent drôle, ce qui augmenta leur hilarité.

Ils rirent longtemps. Entre larmes et sanglots, ils se calmèrent enfin.

Quand le fou rire s'épuise, il laisse toujours quelque chose derrière lui, pensa le médecin de guerre. Comme l'orage qui dépose un souvenir frais d'humidité.

Ce qui reste d'un fou rire est de la gratitude.

À ce moment précis de sa vie, Jacob Roumann se sentait reconnaissant. Envers la vie, pour le simple fait d'être vivant. Envers sa femme, qui l'avait abandonné mais qui s'était laissée aimer de lui pendant de nombreuses années. Envers la guerre, qui lui avait permis de rencontrer cet Italien.

— Je vous en prie, continuez.

16

Ceci est la légende du cigare de Rabes, désormais cigare de Guzman. Fragile, il était enrobé dans du papier d'argent. Il était précieux, encore plus depuis que ce rouleau de tabac avait voyagé pendant des années dans les odeurs de gingembre, safran, poivre et surtout vanille, au point d'en être imprégné. Il était spécial, et Guzman décida qu'il serait pour lui le dernier, un jour. Pour cette raison, il le conservait avec soin.

Il racontait cette histoire, l'exhibait avec orgueil puis le rangeait comme une relique dans la poche intérieure de sa veste. Puis il disait : « Quand je l'allumerai, le jour de ma mort, dans la première volute de fumée je reconnaîtrai le visage rubicond de Rabes. Ainsi nous partirons ensemble, comme deux vieux amis. Et nous le sommes vraiment parce que, j'en suis certain, l'âme de Rabes est prisonnière de ce cigare. »

Il se produisait dans les halls des grands hôtels, les couloirs des théâtres d'opéra, les cafés musicaux et les clubs privés.

Guzman avait mis au point une technique pour appâter son public. Il s'asseyait devant un inconnu, allumait un cigare et, de but en blanc, démarrait son récit. Au départ l'élu était déstabilisé, mais très vite l'histoire balayait l'embarras. Il était pris au piège. Très vite, une petite foule de curieux se regroupait spontanément autour d'eux.

Ils se demandaient d'abord qui était ce petit homme insolite qui racontait en fumant, mais ils étaient vite gagnés par la sensation de le connaître depuis toujours, comme un vieil ami.

Il les tenait.

Un cigare entre les doigts, Guzman créait pour eux un univers imaginaire auquel ils voulaient croire. Il se laissait traverser par cette brume savoureuse et titillait leur désir. L'air sombre dans sa bouche glissait, doux comme du velours, s'arrêtait un instant, en attente, puis ressortait sous les traits d'un fantôme. Et s'évaporait.

Guzman oubliait sa propre mort. En attendant, il était heureux et il ne savait pas pourquoi. Il expliquait : « Je sais, c'est nocif, un jour j'en mourrai. Mais c'est mon âme qui me contraint à le faire, renie mon corps, l'invite à cette lente destruction, parce qu'elle est certaine de lui survivre. Elle demande à être désaltérée de cette eau de l'oisiveté, invisible, qui sait la droguer. Elle le fait pour elle-même, pour son plaisir. »

Sa passion – obsession – ne se résumait pas à fumer et raconter des histoires. Elle était plus complexe, articulée. Elle comportait une troisième composante, tout aussi fondamentale que les deux premières.

Les montagnes.

Pour Guzman, les montagnes avaient une signification précise. Elles avaient été placées là où elles se trouvaient pour rappeler quelque chose aux hommes : peut-être le sens de leur vie, ou bien leur fragilité. Pour chacun, le sens était différent.

Quand Guzman rencontrait une montagne il s'arrêtait, s'asseyait et la contemplait. Il l'écoutait en essayant de comprendre ce que la montagne voulait lui dire. Ensuite, pour la saluer, il fumait.

Il avait gravi les Alpes enneigées, les Carpates, les Pyrénées. Il s'était tenu debout, sur les sommets tibétains, à trois mille mètres d'altitude, où l'air était raréfié et le vent de feu, qui lui brûlait le visage et ne consumait pas le tabac. Et même en Égypte, il s'était assis devant les trois pyramides de Gizeh, montagnes de désert.

À Kilauea, en Polynésie, on parle encore d'un homme qui fumait à côté du volcan. Et du volcan qui fumait avec lui.

Guzman restait immobile, il interrogeait son âme : il savait qu'elle était quelque part à l'intérieur de lui, mais, comme tout le monde, il ne savait pas où.

« Le tabac le sait, disait-il. Il la connaît, il la séduit. Fumer, en suivant le tabac à travers le plaisir qu'il nous procure, brouillant nos sens dans le parcours de notre corps, en bas les viscères chauds, en écoutant le bruit comme le grognement d'une tempête qui approche, noire, électrique, et puis en haut, tourbillonnant dans le cerveau, et puis ailleurs, là où l'on ne peut pas le suivre mais où il sait arriver, jusqu'à la toucher, enfin. *L'âme.* »

Guzman, sur les montagnes, crachait des nuages blancs et imaginait dans chacun d'eux la forme de son âme.

— En effet, c'est une belle façon de passer sa vie, remarqua Jacob Roumann. Mais je ne vois pas bien comment on peut gagner sa vie, avec une telle prédisposition.

— Cela semble une bien piètre occupation, je vous l'accorde, répondit le prisonnier. Mais, que vous me croyiez ou non, c'est grâce à ce qu'il savait le mieux faire que Guzman est devenu riche.

17

Guzman est un héros de l'oisiveté.

Il n'est ni paresseux ni indolent. Certains hommes viennent au monde pour réaliser quelque chose, d'autres sont ici pour rappeler au monde à quel point il est agréable de vivre. La seconde catégorie est tout aussi nécessaire que la première.

Ainsi, après son expérience d'homme à tout faire à la laverie de Madame Li, Guzman n'a plus travaillé.

Or quelqu'un qui ne jouit pas d'une rente illimitée et qui n'est pas doué pour la mendicité doit tôt ou tard trouver un métier ou un moyen de subvenir à ses besoins. Dans la mesure où Guzman ne faisait pas partie des nantis et était généralement trop heureux pour susciter la charité, il semblait ne pas avoir d'autre choix.

L'effort ne l'effrayait pas, mais il était sceptique sur le fait qu'il existât un travail adapté à lui.

Tout homme possède au moins un talent – ainsi dit la Bible –, et Guzman savait que le sien était de fumer en racontant des histoires.

Pourtant, posséder un talent n'est souvent pas suffisant. Il faut aussi une vocation – c'est-à-dire la prédisposition spéciale pour exploiter son talent.

Selon cette logique, le talent de narrateur de Guzman l'aurait naturellement amené vers une carrière de romancier. Mais le fait de fumer était essentiel. Et, bien que capable d'indiquer quoi aspirer et à quel moment du récit le faire, il n'aurait certes pu imposer ce vice au lecteur.

Et puis, Guzman n'aurait pas accepté que ses histoires soient prisonnières de l'enchantement d'une page écrite. Elles étaient vivantes, chaque fois elles s'enrichissaient de nouveaux détails, dans un perpétuel renouvellement. Comme les plantes qui se libèrent de leurs branches, de leurs feuilles et de leurs fruits, et changent continuellement sans perdre leur identité. Fixer les histoires dans l'encre signifiait les priver de leur propre esprit. En d'autres termes, les laisser se faner.

Comme un artisan, Guzman assemblait des phrases, choisissait des synonymes, modifiait le rythme et la musicalité. C'était souvent le public qui lui suggérait les variations nécessaires, parce qu'il comprenait à l'expression de ses auditeurs si un passage était trop plat ou bien si un coup de théâtre était vraiment efficace.

« Je suis le dernier aède, disait-il en levant un doigt vers le ciel, ivre de tabac et d'éclats de rire. Comme un Homère moderne, je suis un apatride condamné à vagabonder pour apporter aux hommes le réconfort de l'imagination. »

Guzman mûrit cette conviction très tôt, disons vers vingt ans. À l'époque, il vivait encore dans une indigence digne – pas assez pauvre pour mourir de faim mais suffisamment pour désespérer que sa situation évolue à court terme. Il devait faire preuve d'ingéniosité pour se procurer un repas chaud.

Pour commencer, il investit ses dernières économies dans un smoking d'occasion, un peu élimé mais encore respectable, que lui vendit un entrepreneur de pompes funèbres – mais Guzman ne souhaita pas en connaître la provenance exacte.

Ainsi vêtu, il choisissait un restaurant de luxe où il arrivait à l'heure du dîner. Il repérait dans la salle un client qui mangeait seul et, sans se présenter, s'installait à sa table. Avant que l'élu se rende compte de ce qui se passait, Guzman démarrait une histoire. Il avait calculé qu'il fallait en général aux clients entre cinq et dix secondes pour dépasser leur surprise initiale et protester, il lui fallait donc profiter de ce bref laps de temps pour capter leur attention. Le début de l'histoire était fondamental – de même que le chef d'orchestre doit, au commencement du concert, marquer la simultanéité de l'orchestre, il devait attaquer par une phrase qui faisait mouche.

« Vous sentez cette puanteur d'encens et de fleurs pourries qui émane de mon frac ? Vous n'allez pas me croire, mais il a longtemps appartenu à un chasseur de fantômes. »

Le client, qui était déjà en train d'appeler le maître d'hôtel, restait généralement le bras en l'air, comme paralysé. Guzman l'avait frappé en plein cœur, lui inoculant dans le sang le venin de la curiosité.

Le seul antidote possible était d'écouter.

À l'époque, les histoires de Guzman n'étaient pas aussi soignées. Il improvisait souvent, mêlant vérité et légende. Il avait besoin d'intrigues fortes, d'histoires de spectres, de meurtres, avec des coups de théâtre – qui lui garantissaient des résultats rapides. Pour connaître la suite, le convive faisait dresser un second couvert. Dans le fond, avait considéré Guzman quand il avait imaginé cet expédient, personne n'aime manger seul. Tout le monde appréciait la compagnie de ses histoires et, lui, il grappillait un repas, parfois un pourboire.

« Un jour, me disait Guzman, toutes les familles à l'heure du dîner auront quelqu'un qui s'assiéra avec elles pour leur raconter des histoires. Ça sera tout à fait normal, tu verras. Comme avoir un théâtre chez soi. »

Guzman parlait de nombreuses langues – héritage de sa longue errance avec sa mère –, aussi il n'avait aucune difficulté à se faire comprendre, où qu'il aille. Il pouvait voyager gratuitement, parce que, dans les trains ou sur les bateaux, il trouvait toujours un homme riche qui s'ennuyait ou un groupe d'amis prêts à lui payer le billet pour qu'il les divertisse. Et comme son bagage d'histoires était intarissable, il pouvait raconter pendant des heures.

Une fois, à Londres, il entreprit le vieux truc du restaurant. Dans la salle, une vieille dame mangeait seule. Malgré son âge, elle n'avait pas renoncé à soigner son apparence : elle portait des bijoux et une robe de soirée. Guzman imagina qu'elle aimerait accueillir à sa table un jeune hôte qui sût apprécier ses efforts pour rester avenante. Il s'installa.

— Vous sentez cette puanteur d'encens et de fleurs pourris qui émane de mon frac ?

— Je le reconnais, il appartenait à un salaud de chasseur de fantômes, répondit-elle en le fixant de ses yeux bleus glaciaux. Depuis que je suis morte, je l'attends ici tous les soirs.

Guzman dut sembler vraiment égaré, parce que la vieille dame éclata de rire, insouciante de ce que pouvaient penser les autres clients.

— Comment savez-vous…

— Après qu'on m'a parlé de toi, j'ai pensé que la seule façon de te rencontrer était d'aller dîner seule au restaurant. Cela fait une semaine que je t'attends chaque soir. Tu en as mis du temps, Guzman, le réprimanda-t-elle.

— Je suis désolé, bredouilla-t-il sans bien comprendre de quoi il devait s'excuser.

— Dis-moi, mon garçon : saurais-tu raconter une histoire vraie ? Je ne veux pas dire vraie en tant que véridique – je suis trop vieille pour quelque chose d'aussi cruel que la vérité –, mais qui te prend les tripes avant de remonter au cœur. L'une de ces histoires qui font trembler les poignets, s'émouvoir, mais qui sont aussi amusantes et tendres, comme il en existe peu au monde.

— Quelle histoire ? demanda Guzman, enfin curieux.

— C'est évident : la mienne.

18

Elle s'appelait Eva Mòlnar, elle avait quatre-vingt-onze ans. Elle était hongroise et avait une passion – une obsession : l'alpinisme.

Au cours de sa longue vie, elle avait accompli des prouesses. Elle avait escaladé les sommets les plus inaccessibles, défié des parois raides et mortelles. Elle avait connu la douleur de la fatigue et elle avait résisté à l'appel du vide qui l'invitait à lâcher la prise. Le tout pour admirer des paysages dont seuls quelques élus avaient pu se délecter.

« Parce que l'orgueil de pouvoir regarder le monde d'en haut nécessite des sacrifices. »

Toutefois, les exploits d'Eva Mòlnar, bien que mémorables, n'auraient pas de place dans les livres d'histoire, ni dans les récits des guides ou des sherpas, ni même dans les anecdotes de ses collègues alpinistes.

— Parce que je suis une femme, quelle question ! répondit-elle à Guzman qui lui en demandait la raison.

Une femme ne pouvait pas s'illustrer dans des activités qui constituaient une prérogative masculine. Elle aurait pu leur faire de l'ombre.

— Si un homme fait quelque chose et qu'une femme l'imite juste après, son action perd de la valeur. Tu ne le savais pas ?

— Ce n'est pas vrai.

— Alors donne-moi un cigare, je vais te prouver que tu n'auras plus envie de fumer.

— Vous avez déjà fumé, au moins ?

— Je n'ai plus qu'un poumon, l'autre s'est affaissé à trois mille mètres d'altitude, pendant que j'escaladais le Puncak Jaya.

— Raison de plus pour ne pas fumer de cigare.

— Quand j'étais jeune, je fumais des cigarettes à la sauge qu'un ami oriental préparait exprès pour moi. Une fois, nous avons appris à un phoque à fumer avec nous.

— Il n'y a pas de phoques en Orient.

— Et tu crois vraiment que c'était de la sauge ?

Guzman comprit vite qu'il n'aurait de cesse de se battre avec elle et que, étant donné son caractère, il serait difficile de gagner.

Le pacte qu'Eva Mòlnar proposa à Guzman était très simple.

— Tu me suivras dans mes voyages, tu écouteras l'histoire de ma vie et tu t'engageras à la raconter quand je serai morte. En échange – étant donné que je n'ai pas de marmots et que je n'ai pas eu le malheur de me marier – je ferai de toi mon légataire universel.

— Je pourrais ne pas trouver l'histoire de votre vie intéressante, madame Molnar. Ou bien je pourrais vous dire oui et, quand vous serez morte, choisir de tout oublier.

— Tu pourrais. Mais tu ne le feras pas.

— Comment pouvez-vous en être aussi certaine ?

— Parce que j'ai traversé près d'un siècle, j'en suis sortie indemne, j'ai vu des choses, collectionné des exploits et aimé des femmes que tu ne peux même pas imaginer, mon garçon.

Mystère, aventure et amours lesbiennes.

— C'est d'accord, concéda Guzman.

19

Ainsi débuta l'amitié singulière entre Guzman et Eva Mòlnar. Il la suivait dans ses voyages et notait mentalement les détails de l'existence qu'elle lui racontait.

Ils visitèrent ensemble toutes les montagnes que la femme avait escaladées sur les cinq continents. Chaque fois, pour lui, c'était comme assister à une rencontre entre de vieilles dames qui se connaissent très bien et qui, lorsqu'elles se retrouvent, parlent de tout et de rien. Pourtant, sous l'apparente frivolité de ces bavardages se cache toujours un dialogue plus intime, plus personnel.

Si son âge le lui avait encore permis, Eva se serait armée de cordes et de pitons et se serait attaquée à la roche. Guzman le sentait dans la lueur de son regard : derrière le masque de la vieillesse se dissimulait une jeune fille. Ses yeux sans âge en étaient la preuve.

« Arrivés à ce stade, on est ce qu'on est et on ne peut plus faire semblant, lui disait Eva. Il est pathétique ne serait-ce que d'essayer. »

L'alpinisme avait été toute sa vie. Son père était alpiniste, comme son grand-père et son arrière-grand-père. « Une banale tradition familiale qui se transmet de génération en génération. » Puis elle réfléchissait : « En réalité, je pense qu'ils n'ont même pas considéré que j'étais une femme ni songé à me demander mon accord pour reprendre le flambeau ».

Avec Eva, Guzman découvrit des endroits, des peuples et des cultures fascinants. Il se nourrit de mets et boissons aux saveurs les plus incroyables. Et, surtout, il fuma des tabacs et des plantes mystérieuses qui avaient le pouvoir de faire oublier aux hommes la précarité de leur condition.

Ils ne prenaient jamais de chambres d'hôtel, ni ne s'inquiétaient de ce qu'ils allaient manger. Partout où ils s'arrêtaient, ils étaient hébergés par les nombreux amis qu'Eva avait collectionnés au fil de ses quatre-vingt-onze années d'aventures. Ils étaient tous généreux et cordiaux, heureux de revoir leur vieille camarade. Ils ne l'auraient jamais laissée refuser leur invitation : c'était pour eux un point d'honneur de la recevoir.

Au début, Guzman ne se sentait pas à sa place, surtout quand – après le dîner ou en attendant l'aube – les autres s'abandonnaient à leurs souvenirs et évoquaient les esprits du passé. Toutefois, plus le récit d'Eva avançait, plus Guzman s'intégrait à son monde. Les gens dont il fit la connaissance devinrent ses amis. Ce fut sans aucun doute ce qu'Eva Mòlnar lui légua de plus précieux.

Cette femme avait une énergie inimaginable, elle ne se fatiguait jamais. Sa mémoire avait résisté au temps, comme un bloc de granit. Elle se souvenait de tout. Comme promis, elle confia à Guzman chaque détail de son passé, même les plus gênants sans chercher à forcer le trait. Elle lui avoua ses nombreuses amours – des femmes superbes, des mères de famille intègres, des épouses dévouées qui n'auraient jamais imaginé aimer une autre femme. Elle évoquait ses histoires avec elles sans aucune malice, plutôt avec une immense pudeur.

Pour Guzman, Eva Mòlnar ouvrit les portes d'un paradis inconnu. « Il n'y avait aucune transgression dans ces caresses, ces baisers. En moi, c'étaient elles-mêmes qu'elles voyaient. C'était comme se toucher à travers un miroir. »

Guzman pensait que la révélation de toute cette intimité le distrairait de son but : retenir l'histoire d'Eva – comme cela lui arrivait à douze ans avec la lingerie de Madame Li. Les hommes se laissent guider par leur instinct primaire, pensait-il. Or il se trompait. Parce que, dans le même temps, il recevait l'une des leçons qui lui servirait le plus dans les années à venir.

Il apprenait à écouter.

Ce qui est fondamental quand on a l'ambition de raconter. Eva Mòlnar était une magnifique narratrice.

Aussi fidèle qu'une historienne, aussi enthousiaste qu'une poète. La seule fois où il la vit hésiter fut le jour où, pour la première fois, elle lui parla de Camille.

Elles vieillissaient ensemble sur les daguerréotypes qui rouillaient immanquablement au fil des ans. Elles étaient toujours jeunes, mais opaques. Pantalons masculins de vigogne, maintenus par une fine ceinture en cuir et portés comme un défi au monde des hommes. Grosses chaussures à crampons qui exaltaient leur force douce. Cordes sur l'épaule, vestes en laine vierge et cheveux tirés en queue-de-cheval. L'une à côté de l'autre, souriantes dans une prairie ou près d'un rocher, à haute altitude.

— Notre histoire n'était possible que là-haut, confia Eva Mòlnar avec une ombre de regret. Sa mort est ma faute la plus grave. C'est moi qui l'ai voulue à mes côtés. Comme condamnation, j'ai reçu le reste de ma vie.

— Qui aurait voulu vous punir ?

— Dieu, qui d'autre ? Que peut-on attendre d'autre d'un homme ?

Ils n'évoquèrent plus jamais Camille. Du jour au lendemain, Eva ne prononça plus son nom. La seule fois où elle y fit allusion, sans la nommer, fut quand elle prit le visage de Guzman entre ses mains, geste d'affection. Elle lui dit :

— Choisis quelqu'un, Guzman. Et fais-toi choisir.

Les jours suivants, elle maigrit. Trop rapidement pour ne pas s'en inquiéter. Pour les médecins, c'était mauvais signe. Mais Guzman était tranquille, il savait ce qu'il se passait : plus Eva avançait dans son récit, plus elle lui remettait une partie d'elle-même et, par conséquent, lui transférait le poids de sa propre vie.

— Votre amie est en train de mourir, lui dit-on.

— Non, elle allège son âme.

20

Ils passèrent cinq ans ensemble.

La mort d'Eva Mòlnar apporta d'autres surprises.

La première fut que la vieille dame était presque pauvre.

En échange de son œuvre, Guzman se retrouva légataire universel de quelques bijoux et d'un tas de vêtements de femme. Pourtant, il ne se sentit nullement victime d'une machination. Le fait est qu'elle ne le savait pas.

Autrefois, elle avait été riche. Or, pendant toutes ces années, elle avait vécu de l'hospitalité de ses amis. Ils lui offraient le gîte et le couvert, en plus de tout ce dont elle avait besoin. Aussi ne s'était-elle pas rendu compte que sa fortune s'était amoindrie, érodée par les dépenses superflues.

Guzman n'en fut pas amer, il avait reçu bien plus de sa part.

Les montagnes.

Il vendit les quelques biens de son amie et, avec l'argent, partit visiter à nouveau les lieux de la vie d'Eva, annoncer la triste nouvelle à ses proches et disperser un peu de ses cendres sur chaque montagne qu'elle avait aimée et bravée.

— Vous avez dit que Guzman était devenu riche grâce à ce qu'il savait le mieux faire, protesta Jacob Roumann.

— Je l'ai dit parce que c'est ainsi, répondit le prisonnier. Faites-moi confiance et laissez-moi terminer.

21

Après la mort d'Eva Mòlnar, Guzman fut contraint de constater qu'il se retrouvait au point de départ. Sans subsides, il ne pouvait cultiver sa passion – son obsession – du tabac, ni respecter le pacte conclu avec Eva de faire connaître son histoire, en plus des siennes.

Alors qu'il dispersait les dernières cendres de son amie sur le mont Blanc, il aperçut un homme en position dangereuse au bord d'un ravin. Devant un précipice, l'admiration, le vertige et même quelques frissons sont permis, mais pas le doute. Il est bien connu que les précipices soutiennent le doute.

Comprenant les intentions du pauvret, Guzman s'en approcha avec précaution. L'homme était livide.

— Ne faites pas ça, tenta Guzman sans grande originalité.

Il comprit qu'une simple exhortation serait vaine. Les gouffres sont souvent très invitants, surtout pour ceux qui ont décidé de les affronter à visage découvert. Guzman avait besoin d'une idée. Pour susciter une réaction chez cet être catatonique, trouver les mots justes ne suffirait pas – il fallait trouver la porte d'entrée.

— Qui êtes-vous ? hurla Guzman à l'écho.

Ce faisant, il donna une consistance au vide. L'homme ne s'y attendait pas. Il tressauta sur le mince fil d'espoir qui le reliait encore à la vie. Désormais, au moins, il se rendait compte du danger qui s'étendait sous ses pieds.

— Dardamel, dit-il à voix basse, comme pour ne pas menacer son équilibre.

— Je ne vous ai pas demandé votre nom. Je vous ai demandé qui vous êtes.

— Je suis un musicien inventeur, déclara Dardamel en se tournant, interloqué.

— Que diable cela veut-il dire ? cria Guzman, décontenancé.

— Si vous arrêtez, je vous explique, répondit l'homme, troublé et effrayé. J'invente des instruments de musique. Je crée de nouveaux sons.

— Je croyais qu'il n'y avait que sept notes, rebondit Guzman moins fort.

— Parce que, comme beaucoup, vous pensez que la musique n'est faite que de notes, expliqua l'homme avant de préciser que c'était ce genre de personnes qui l'avait poussé devant l'abîme. J'ai créé un instrument, mais personne ne veut le reconnaître en tant que tel. On rit de moi.

— Qui rit de vous ?

— Tout le monde. Mes collègues musiciens et mes collègues inventeurs.

Deux catégories, c'en était trop. Guzman ressentit une empathie soudaine pour ses motivations. On peut tout retirer à un homme – le respect, l'honneur, la dignité –, mais si on tue son rêve, c'en est terminé. À cet instant précis, Guzman comprit que Dardamel ferait son dernier pas vers le vide. Il ne pourrait l'empêcher, parce que le seul moyen aurait été de modifier le cours des événements.

S'il ne pouvait pas changer sa vie, il pouvait au moins inviter l'homme à faire évoluer le regard qu'il portait sur celle-ci. Alors Guzman fit la seule chose qu'il savait faire. Il s'assit au bord du ravin, plongea une main dans sa poche et en sortit un cigare fin. Il en frappa trois fois la pointe contre le dos de sa main – geste sans aucune fonction mais essentiel pour un fumeur, allez savoir pourquoi. Puis il l'alluma et entreprit le récit de la vie d'Eva Mòlnar.

Il dressa la liste de ses aventures, mais rapporta aussi avec fidélité les vicissitudes qu'elle avait dû affronter. Et il conclut en affirmant :

— Combien de femmes auraient mérité une place dans l'histoire de l'humanité et en ont disparu parce qu'un monde d'hommes a décidé de ne pas leur accorder la même dignité ? Un véritable génocide, si on y réfléchit.

Guzman ne savait pas pourquoi il avait raconté l'histoire d'Eva. Il n'était même pas certain que cela puisse servir. Il n'avait jamais cru que les histoires possèdent une morale. Il pensait plutôt que chacun, selon son bon vouloir, y trouvait quelque chose. Il se méfiait de ceux qui racontaient des histoires pour donner des leçons – c'étaient les pires.

— Pourquoi m'avez-vous raconté tout ça ? demanda Dardamel, qui attendait bel et bien une morale.

— À dire la vérité, je n'en sais rien. Peut-être pour vous mettre en retard à votre rendez-vous avec la mort. Dernièrement, j'aime bien bouleverser ses plans.

Dardamel réfléchit. Puis il recula d'un pas, et ce fut comme si l'abîme en dessous de lui refermait sa gueule.

— Vous m'avez sauvé la vie.

— Vous vous êtes sauvé tout seul.

22

J'ai toujours considéré que les rêveurs se divisaient en deux catégories : les conscients et les involontaires.

Les premiers ont un objectif clair et le poursuivent jusqu'au bout avec ténacité et application. Cette catégorie inclut les grands *condottieri* de l'histoire ou les magnats de l'industrie et du commerce.

Ils recherchent la chance qui bénira leur entreprise.

Les rêveurs involontaires, en revanche, ont un objectif de départ qui n'est jamais grandiose, mais qui finit par le devenir malgré eux. En définitive, il s'agit de personnes qui améliorent leur monde sans le vouloir : souvent des explorateurs, des découvreurs ou des inventeurs.

Toutefois, dans ce cas précis la chance peut devenir une malédiction.

Vous savez sans aucun doute que Christophe Colomb voulait trouver un chemin plus court pour rejoindre les Indes, il ne visait pas à découvrir un nouveau continent.

Jusqu'à la fin de sa vie, il s'est inconsciemment opposé à l'idée qu'il avait débarqué sur une terre nouvelle, même si le doute s'était déjà insinué chez de nombreux navigateurs. Colomb resta fidèle à sa vision de départ. On raconte que, lors de l'une de ses innombrables expéditions, après avoir exploré l'île qui a pris par la suite le nom de Cuba, il obligea son équipage à jurer devant un notaire qu'il s'agissait de la Chine.

Une des nombreuses légendes qui circulent au sujet de l'invention du champagne parle d'un frère bénédictin nommé dom Pierre Pérignon qui voulait créer un vin blanc pour gagner les faveurs de la cour de France. Seulement, à cause de la fraîcheur du climat de sa région, la fermentation durait deux saisons, ce qui nuisait au goût. Si l'on tentait de mettre le liquide en bouteille avant le terme, cela créait de l'anhydride carbonique. On dit que dom Pérignon a cherché toute sa vie à éliminer les petites bulles qui par la suite l'ont rendu célèbre, parce qu'il les considérait comme le fruit d'une insupportable erreur.

Le physicien allemand Wilhelm Conrad Röntgen essayait d'élargir la découverte des rayons cathodiques, œuvre de son collègue Eugen Goldstein. Le daltonisme dont il était affligé le contraignait à plonger son laboratoire dans le noir complet. Grâce à cette obscurité, il remarqua une étrange luminescence, et sa main se retrouva par hasard imprimée sur une plaque photographique. Or cette photo était spéciale : de la main, on ne voyait que le squelette. Pour des raisons morales, Röntgen a toujours refusé de s'approprier cette découverte, qu'il considérait comme le perfectionnement des travaux des autres. Il les appela rayons X, c'est-à-dire inconnus.

Ces hommes constituent des exemples de la grande famille des rêveurs involontaires. Le destin les a récompensés bien au-delà de leurs attentes, et ils n'ont pas su gérer la responsabilité du succès.

C'est précisément ce qui était arrivé à Dardamel.

Le musicien inventeur, après avoir renoncé au suicide, s'était entêté dans son propre rêve. Durant des mois d'étude et travail intense, il conçut un instrument de musique novateur.

Un hautbois à gaz.

Il l'annonça en grande pompe au monde des inventeurs et à celui des musiciens. Mais il rencontra le mépris habituel, dut affronter l'hilarité qu'il connaissait si bien. Décidé à ne pas abandonner, il déposa son projet d'instrument au bureau des brevets.

Quelques mois plus tard, il reçut une convocation du ministère de la Guerre.

Dardamel était du genre gracile et couard, peu enclin à l'art militaire. Il se demanda quelle pouvait être la raison de cette invitation. Il passa une nuit tourmentée, se tournant et se retournant dans son lit en essayant de comprendre, en vain.

Le lendemain matin, il se présenta au rendez-vous.

Il suivit un jeune militaire dans les longs couloirs du ministère, balayant du regard les hauts plafonds – conçus pour intimider les visiteurs –, les tableaux et les tapisseries représentant des scènes de batailles. Étourdi par autant de violence, il fut introduit dans un grand salon. Au fond de la pièce, un général était assis à un bureau. Dardamel fut accueilli par un sourire aux dents jaunies et par une chaleureuse poignée de main.

— Félicitations, dit le général.

— Merci. Mais pour quoi ?

— Pour votre brevet.

C'était la première fois que quelqu'un s'intéressait à une de ses œuvres, mais Dardamel n'arrivait pas à s'en réjouir, bizarrement. S'ensuivit une série d'éloges du général à l'inventeur et à l'invention. Puis un laïus sur l'importance des devoirs des citoyens envers la nation. Enfin, il dépeignit les scénarios apocalyptiques dans le cas où le sens fondamental du devoir qui devait guider les hommes dans leurs choix vint à manquer.

— Nous ne sommes pas en train de parler de musique, n'est-ce pas ? demanda Dardamel confus.

— Certes non, répondit le gradé sur un ton cordial.

Dardamel ne savait comment réagir. Il réfléchit, chercha ses mots puis dit :

— Comment définiriez-vous mon invention ?

— Un lance-flammes.

— C'est un hautbois à gaz.

— Non, c'est un lance-flammes, répéta le général avec un sourire fixe.

— Je répète : hautbois à gaz.

— J'insiste : lance-flammes.

Il poursuivit ainsi pendant un quart d'heure. Puis le général fit part à Dardamel de la somme indécente que le ministère était prêt à lui payer pour acheter le brevet du hautbois lance-flammes – comme ils s'étaient accordés à l'appeler, afin de régler au moins la controverse qui les opposait sur la dénomination.

Devant cette proposition inattendue, Dardamel hésita, puis céda. Quelques mois plus tard, l'instrument fut utilisé avec succès pour remporter une campagne militaire.

En apprenant la nouvelle, Dardamel sombra dans le découragement et la frustration. Depuis qu'il était riche plus personne ne se moquait de lui, mais il n'arrivait plus à inventer des instruments produisant de nouveaux sons.

Son existence était fondée sur un insupportable silence.

Il passa près d'un an à retrouver le jeune homme qui, au bord du précipice, lui avait fourni une motivation pour se sauver. Il le débusqua, pauvre et affamé, dans une gargote de Varsovie, occupé à servir une histoire de montagnes à un public d'ivrognes. Il ne fumait plus que des déchets de tabac roulés dans du papier épais et brut.

— Voilà, il est à vous, lui dit-il en posant devant lui tout l'argent qu'il possédait. Moi, je n'en veux pas.

Quand Guzman – après s'être demandé si tout cela était réel ou le fruit d'une hallucination due à l'indigence – lui demanda pourquoi, Dardamel répondit qu'il voulait retrouver son vieux rêve, même au prix de ne jamais le voir se réaliser.

Guzman lui fit remarquer qu'il ne méritait pas cet argent parce qu'au fond il n'avait rien fait, ce à quoi l'ex-musicien répondit qu'il le considérait comme un associé. Parce que, parfois, il n'est pas nécessaire que quelqu'un nous finance ou partage le risque lié à notre entreprise. Parfois, il suffit que quelqu'un croie en nous.

Pourtant, Guzman avait besoin de comprendre.

— Donc vous ne faites pas ça pour soulager votre conscience, à cause de tous les morts occasionnés par votre invention.

— Je ne suis pas moralement irréprochable, aussi cet aspect m'importe peu, admit Dardamel avec candeur – et sans pitié. Et puis, je pense que, même sans le hautbois lance-flammes, les militaires trouveraient d'autres moyens de s'entretuer.

— Alors pourquoi ?

— Parce que vous devez raconter vos histoires. Y compris la mienne. Si la provenance de cet argent vous dérange, faites comme s'il s'agissait d'une sorte de mécénat.

Ils n'ajoutèrent pas un mot. Guzman prit l'argent, Dardamel reprit sa vie et ils se séparèrent. Ils allaient se revoir une dernière fois, mais aucun des deux ne le savait.

Dardamel allait se suicider un an plus tard.

Guzman allait tomber amoureux.

23

Tout une seule fois. Une fois seulement.

Telle était la devise de Guzman. Et lui, qui l'avait choisie, la respectait avec cohérence et courage.

Tout une seule fois. Une fois seulement.

Il ne fumait jamais deux fois le même tabac, il ne visitait jamais à nouveau la même montagne.

Tout une seule fois. Une fois seulement.

Guzman vivrait une seule fois et mourrait une fois seulement. Il aimerait une seule fois, une seule femme.

Il la rencontra dans le seul endroit du monde où cela avait un sens. Paris, au début du siècle, était une ville festive qui avait envie de communiquer son état d'esprit au monde entier. Le XXe siècle avait débuté sous les meilleurs auspices, les gens étaient heureux, personne n'entrevoyait les prémices d'une guerre. Cela semblait être le commencement d'une époque de paix et de prospérité. Et c'est justement à Paris que Guzman…

À ce moment-là, la ville explosa devant les yeux de Jacob Roumann. La tour Eiffel, l'Arc de Triomphe et Notre-Dame volèrent en éclats. Le grondement fut si fort qu'il effaça un instant tous les autres sons. Le docteur se retrouva à terre, dans le noir. Il lui fallut quelques secondes pour se remettre de son étourdissement et comprendre qu'il était toujours vivant.

La lumière revint, mais elle ne provenait pas de la lampe à pétrole, qui avait explosé sur le sol rocheux. Le prisonnier avait craqué une allumette. Ils échangèrent un regard, juste assez pour comprendre qu'ils allaient bien tous les deux.

Alors Jacob Roumann se précipita hors de la grotte pour voir ce qui s'était passé.

24

Ses oreilles sifflaient et des petits points argentés lui dansaient devant les yeux. Dehors, des gens couraient dans tous les sens. Jacob Roumann tenta de comprendre d'où ils venaient et où ils allaient. La plupart fuyaient, tout simplement, en proie à la panique.

Il attrapa par la manche un soldat aux yeux d'enfant épouvanté et le tira vers lui.

— Qu'est-ce qui s'est passé ?

— La montagne a explosé.

— Où ça ?

— De ce côté, indiqua-t-il de son bras tremblant.

Jacob Roumann le lâcha pour se joindre au flux qui menait dans cette direction. Il entendait des cris et des pleurs. Les soldats se cognaient les uns contre les autres dans le couloir étroit de la tranchée, comme poursuivis par un ennemi invisible, en hurlant : « On nous attaque ! »

En réponse, des coups partirent et se perdirent dans la nuit. Le médecin cheminait, comme en transe, vers le cœur du désespoir. Dans le noir, il piétina des morts.

Il devait avancer, il ne pouvait s'arrêter, autrement il finirait écrasé dans la cohue, sort qu'avaient probablement subi ceux qui gisaient à terre. Quand il sentit l'odeur, il comprit ce qui était arrivé.

Le gaz.

Il se fraya un chemin parmi les spectateurs stupéfaits, immobiles. Il vit ce qu'ils regardaient tous. Les morceaux arrachés, la chair consumée, les corps fondus entre eux par les flammes. Les cadavres avec la tête et les membres pliés vers l'arrière et le buste tendu dans un élan vers le haut – froissés comme des feuilles sèches.

Aucun gémissement, aucune plainte. Personne ne lui demandait d'intervenir. Jacob Roumann comprit qu'il était inutile ici, cette fois la mort n'avait pas eu besoin de lui.

Il n'aurait donc rien à noter dans son agenda 1916 à la couverture noire. Le temps avait manqué, tout s'était passé trop vite. Le gaz, une étincelle et l'explosion qui avait tout brûlé – oxygène, objets et personnes – en un unique, déflagrant instant.

Parmi les victimes il reconnut l'aide de camp du commandant. Le feu avait dévoré la moitié de son visage – on aurait dit le masque grotesque d'un carnaval absurde. Une main se posa sur son unique œil, lui ferma la paupière. Jacob Roumann s'écarta pour découvrir qui s'était chargé de cette triste tâche et aperçut, à genoux en face de lui, le commandant en personne. Il n'aurait jamais imaginé le militaire capable d'une telle délicatesse.

Le supérieur se releva et demanda au sergent d'ordonner aux hommes d'arrêter de tirer. Il n'y avait eu aucune attaque de la part des Italiens. Il s'était agi d'un accident. Un lance-flammes avait explosé.

Jacob Roumann pensa à l'absurde coïncidence. Il ne savait pas si Dardamel était réellement l'inventeur de cet objet de mort – en vérité, il en avait toujours douté. Dans tous les cas, il pensa qu'il était étrange que les hommes – seules créatures dotées de la conscience du don de la vie – cherchent depuis toujours des façons de s'entretuer.

— Vous avez entendu le commandant ? Cessez le feu ! hurla le sergent. C'était un accident. Un lance-flammes a explosé.

— Vous vous trompez, dit le docteur trop bas pour être entendu. C'est un hautbois à gaz.

25

À 1 heure du matin, Jacob Roumann revint à la caverne avec une nouvelle lampe à pétrole. Il écarta le rideau, éclaira l'intérieur et découvrit un des soldats de garde qui s'acharnait contre le prisonnier, le frappant violemment avec la crosse de son fusil.

— Non, non !

Il l'attrapa par les épaules et l'éloigna.

— L'espion lisait vos notes, se justifia le soldat, essoufflé, en lui montrant l'agenda 1916 à la couverture noire.

Jacob Roumann l'ignora pour s'adresser au prisonnier.

— Vous allez bien ?

— Oui. Et vous ?

Le docteur aperçut une coupure sur sa joue. Un hématome allait bientôt se former. Il se tourna vers le soldat et lui tendit son mouchoir.

— Sors et remplis-le de neige fraîche.

L'autre bredouilla une réponse mais Jacob Roumann lui lança un regard haineux dont il eut presque honte. Il n'avait pas envie de discuter – pas après le spectacle de la dernière heure, passée à séparer au bistouri des cadavres enlacés et à assembler des restes humains.

Un peu plus tard, quand ils se retrouvèrent seuls, le médecin tamponna la joue du prisonnier avec le mouchoir plein de glace.

— Je suis désolé, je n'aurais pas dû lire votre carnet, regretta l'Italien.

— Je dois l'avoir perdu quand l'explosion m'a projeté au sol. Ce n'est rien d'important, de toute façon.

— Si, ça l'est. Sinon, vous n'auriez pas pris le soin de remplir chaque jour, consciencieusement, chaque page de vos notes. Et cette fleur de papier que vous utilisez comme marque-page... De quoi s'agit-il ?

Le médecin lui prit la main et la posa sur la compresse de neige qui lui recouvrait la moitié du visage.

— Appuyez fort.

Puis il prit l'agenda et le plaça à la lueur de la lampe à pétrole posée sur la table.

— Quelle page ?

— La dernière, par exemple.

Jacob Roumann feuilleta le carnet jusqu'au 14 avril, où était placée la fleur de papier.

— Lisez, dit-il en le tendant au prisonnier.

— 4 h 25. Simple soldat : « Maman. »

— Blessé par une arme à feu, précisa le médecin avant d'ajouter : Mauvaise blessure. Il a voulu que je lui tienne la main. Jeune, trop jeune. Il a expiré en appelant sa mère.

L'Italien, qui commençait à comprendre, poursuivit :

— 10 h 26. Officier : « Il n'y a plus de neige. »

— Il perdait son sang, l'hémorragie l'avait rendu aveugle. Ses yeux s'étaient éteints au moins une heure plus tôt, sur le paysage de glace. Mais il ne s'en était pas encore aperçu. Il ne l'a compris que quelques instants avant de s'en aller.

— 16 h 12. Simple soldat : « La fin. »

— Empoisonnement au plomb, mais je n'ai pas réussi à extraire toutes les balles. Il m'a demandé : « Docteur, c'est ma fin ? » Je n'ai pas répondu. Un peu plus tard, il l'a fait lui-même. Une affirmation, sèche : « La fin. »

— 20 h 07. Simple soldat : « Cela apparaît. »

— Ça m'a beaucoup frappé. Comme s'il voyait quelque chose. Ça arrive, parfois. On ne sait pas si c'est une conscience ou une consolation que quelque chose apparaisse au moment où l'on disparaît.

— Enfin, 22 h 27. Sous-officier : « Une couverture en laine. »

— Il avait froid, tout simplement. Cela a été sa dernière requête.

Le prisonnier feuilleta l'agenda à l'envers, émerveillé.

— Vous collectionnez les dernières paroles des moribonds. Stupéfiant.

— Oui, admit Jacob Roumann.

— Il y a une liste par jour, c'est incroyable. Qu'espérez-vous en tirer ? Un message du Tout-Puissant ?

— En effet, au début c'était ce que j'espérais.

Le prisonnier leva les yeux vers le médecin.

— Je ne suis pas aussi fou, le rassura Jacob Roumann avec un sourire. Au début de la guerre, je me sentais coupable quand, après, je ne me souvenais pas des noms, des visages. Je me disais : ce sont des êtres humains ! J'ai le devoir de conserver au moins la mémoire de comment ils sont morts. Mais ils étaient trop nombreux. Malgré tout, je ne voulais pas m'habituer à l'indifférence. Parce que le pire dans une guerre, pire que la mort, c'est l'habitude de cette mort…

— Je comprends.

— Mais ensuite, j'ai fait une découverte. C'est arrivé par hasard, et depuis je note les dernières paroles de ceux qui meurent.

— Quelle découverte ? demanda le prisonnier, soudain curieux.

— Retournez à la liste que vous venez de lire, à la page du 14 avril.

L'Italien retrouva la page marquée par la fleur de papier.

— Maintenant lisez depuis le début, en omettant les indications superflues. Juste les mots des mourants, à la suite, sans interruption.

— Maman – il n'y a plus de neige – la fin – cela apparaît – une couverture en laine.

Un silence béat tomba. Les mots flottèrent un moment sur leurs têtes, avant de s'évaporer comme de la fumée de cigarette. L'Italien perçut sur la bouche du médecin la légèreté d'un sourire, il semblait satisfait.

— Il y a de la beauté cachée dans toute chose, affirma le docteur. Même la plus horrible.

Tout commentaire était inutile. Le prisonnier replaça la fleur de papier et referma l'agenda.

— Maintenant que vous avez percé mon secret, poursuivit Jacob Roumann les yeux brillants, s'il vous plaît, racontez-moi celui de Guzman… Qui est la seule femme dont il fut amoureux ?

26

Il y avait une chose que Guzman n'avait jamais faite. « Je n'ai jamais donné de nom à une montagne », m'avait-il répété plus d'une fois.

Il le regrettait. Au début du XXe siècle, on croyait que l'homme avait exploré tous les recoins de la planète, aussi Guzman n'avait que peu de chances.

Pourtant, il allait bientôt devoir donner un nom à quelque chose de plus ardu qu'une montagne.

Une femme.

Il la vit pour la première fois alors qu'elle se promenait dans l'hôtel grandiose que César Ritz avait dédié à l'opulence et au bon goût des Parisiens.

Guzman était en train de raconter l'une de ses histoires, tout en sirotant une absinthe et en dégustant un magnifique cigare royal dans le *fumoir**. Elle passa furtivement derrière une baie vitrée ; elle parlait et riait avec deux amies. Guzman se tut – cela ne lui était jamais arrivé.

Certaines femmes utilisent leur beauté comme un chantage. Quoi qu'on fasse pour les conquérir, elles ne se donneront jamais totalement. Mais pas elle. Elle portait sa grâce comme un vêtement, insouciante de l'effet que cela produisait sur les autres. Au moment précis où il la remarqua, Guzman comprit que, s'il ne l'avait pas, il en ressentirait pour toujours le manque.

Il ne le savait pas, mais depuis quelques semaines le Tout-Paris parlait de cette mystérieuse jeune fille. On l'avait aperçue dans les restaurants chics, les théâtres et certains cafés. Tout ce qu'on savait d'elle était qu'elle avait une vingtaine d'années, qu'elle était la fille de l'ambassadeur d'Espagne et qu'elle était toujours accompagnée des mêmes amies – deux jeunes filles de Madrid venues lui tenir compagnie.

— C'est tout ? demanda Guzman.

— C'est tout, lui confirma-t-on.

Dans les salons mondains une chasse au prénom avait été lancée, comme un nouveau jeu de société. Quand il tenta d'en savoir plus, Guzman découvrit que c'était la jeune fille elle-même qui entretenait le mystère de son identité. Elle s'amusait à faire circuler de fausses informations et des prénoms inventés – le tout avec la complicité de ses amies, bien entendu.

Évidemment, les prétendants les plus charmants et séduisants de Paris se lancèrent le défi d'en conquérir le cœur. Toutefois, en gentilshommes, ils se mirent d'accord sur une règle.

Quiconque découvrirait le prénom de la jeune fille gagnerait le droit de lui faire la cour en priorité.

Étant donné qu'elle était la seule dépositaire de la vérité, ils se présentaient en tentant des réponses au hasard. De nombreux jeunes gens essayèrent, tous durent se retirer de la course.

Lors d'une soirée au club, Guzman affirma de façon inattendue qu'il tenterait sa chance, lui aussi. Il ajouta qu'il était convaincu de son succès.

La nouvelle fut accueillie par les présents avec une ironie voilée et quelques rires sous cape. Tout le monde aimait bien Guzman, mais personne n'était prêt à accorder à ce bonhomme laid la moindre chance de réussir.

Même si le destin avait voulu qu'il devinât vraiment le nom de la jeune fille, il était improbable qu'il parvienne à la conquérir. Pourtant, on ne le lui dit pas. Au contraire, ses amis l'encouragèrent à mener à bien son entreprise, ne fût-ce que pour rire de son échec.

— D'accord, cher ami, lança quelqu'un. Nous vous aiderons : nous nous abstiendrons de courtiser la jeune fille pendant une période de, disons, cinq mois, qui s'achèvera le soir du grand bal de l'ambassade d'Espagne. Ce soir-là, vous aurez l'opportunité de l'approcher en exclusivité.

Guzman accepta l'accord sans pressentir la ruse de ceux qu'il croyait sincères. Il n'était pas question de méchanceté mais de justice, répétèrent-ils nombreux.

Parce qu'il était juste que Guzman payât le prix de son arrogance – cela lui servirait sans aucun doute de leçon.

Il ne perçut pas la raillerie, ou ne s'en soucia point. Il avait bien d'autres préoccupations. Il devait bâtir un plan, et il n'avait que cinq mois pour le mettre en œuvre.

27

Pour que la jeune fille tombe amoureuse de lui, il devait savoir avec certitude ce qu'était l'amour. La véritable essence de ce sentiment qui fait tourner le monde depuis des millénaires.

Mais s'il le demandait à un homme, il n'aurait que le point de vue d'un homme. Et s'il le demandait à une femme, il n'obtiendrait qu'une vision exclusivement féminine. Dans tous les cas, il s'agirait d'une vision partiale, qui lui était inutile.

Il s'adressa donc à la seule personne au monde qui possédait les deux réponses, n'étant ni homme ni femme – ou alors étant les deux à la fois.

L'hermaphrodite le plus célèbre de Marseille.

Madame Li gérait toujours sa laverie et s'occupait toujours de conserver la blancheur du linge – et de la réputation – de ses concitoyens. Quand Guzman remit les pieds dans l'antre brumeux, ce fut comme s'il avait à nouveau douze ans. Rien n'avait changé : ni la vapeur odorante qui conférait un caractère doux et énigmatique à cet enfer, ni la sensation de vertige dans le bas-ventre qu'il avait ressenti jeune garçon en manipulant la lingerie de certaines femmes de la bonne société.

Pour ses sens désormais adultes, une vague promesse de découverte persistait.

La propriétaire apparut entre deux rideaux de bambou. On aurait dit qu'elle lévitait, plutôt qu'elle ne marchait. Guzman remarqua qu'elle n'avait pas vieilli. Elle utilisait toujours autant de maquillage pour couvrir son voile de barbe, mais les poils blancs disparaissaient plus facilement sous la couche de poudre, lui conférant un aspect tout à fait féminin.

Madame Li le reconnut immédiatement, mais elle ne le montra pas.

— Que puis-je faire pour vous ?

Alors Guzman sortit de la poche de son manteau une petite culotte de femme.

— Je l'ai suivie jusqu'à votre cour.

Madame Li ne répondit pas.

— Les petites culottes aiment prendre la fuite, ajouta Guzman, mais elles reviennent. Elles reviennent toujours.

Madame Li garda le silence.

— Les chemises sont mieux élevées. Les guêtres, trop timides. Les cols amidonnés...

— Trop paresseux, conclut Madame Li. Qu'est-ce que tu cherches, un travail d'homme à tout faire ?

— Bien plus, cette fois… Je veux savoir ce qu'est l'amour.

— Pour quoi faire ?

— Pour conquérir le cœur d'une femme.

— Tu veux posséder son cœur ?

— Non, mon père m'a appris que la possession est le tort le plus grave qu'on puisse causer à une personne aimée. Je veux juste qu'elle me le prête.

— Elle est belle ?

— Très belle.

Madame Li l'observa attentivement, guettant sa réaction.

— Tu sais que tu es laid, pas vrai, Guzman ?

C'était la première fois que quelqu'un le lui disait en face, mais il ne se démonta pas.

— Ce détail est supposé réduire mes chances ?

— Non, en effet.

Il se sentit rassuré. Alors Madame Li s'assit sur le bord d'une des cuves en pierre et posa les mains sur ses genoux.

— Pour connaître la réponse à ta question, tu dois faire un long voyage. Tu t'en sens capable ?

— J'ai beaucoup voyagé, ce n'est pas un problème. Où dois-je aller ?

— Dans une vallée du sud de la Chine, dans la province du Yunnan, vit un peuple très ancien. Si tu y vas, tu trouveras ce que tu cherches.

— Pourquoi, que se passe-t-il dans cette vallée ?

— Chaque année, au printemps, les montagnes chantent.

28

Il parcourut des milliers de kilomètres et il lui fallut trente-cinq jours pour arriver à destination – et tout autant pour rentrer, mais il lui restait presque trois mois avant le grand bal de l'ambassade d'Espagne.

La vallée dont lui avait parlé Madame Li était enfermée entre les montagnes. Un peuple très ancien de l'ethnie Miao – également connue sous le nom de Hmong – y vivait. Ils avaient toujours résidé ici, loin de tout. Grâce à cet isolement qui les avait préservés de la cruauté des envahisseurs et du progrès, les habitants avaient conservé des traditions antiques.

Guzman traversa à cheval une gorge étroite. Sombre, parce que la lumière du soleil ne descendait pas le long des murs de roche.

Soudain, après un goulet, une vallée verdoyante s'ouvrit entre les montagnes. Le guide chinois qui l'accompagnait indiqua le paysage avec sur le visage une expression qui signifie la même chose dans toutes les cultures : « Nous sommes arrivés. »

C'était le printemps, et la nature avait pris la couleur de l'émeraude.

Guzman décida de célébrer le moment et se prépara à fumer. Mais il s'arrêta net, l'allumette à quelques millimètres du bout de sa cigarette. Il avait été distrait – envoûté – par un chant.

À la fois vif et mélancolique. La voix était limpide et impétueuse. Elle provenait de l'une des montagnes sur sa gauche. Elle descendait le long de l'arête comme un ruisseau invisible et, rebondissant en écho, se propageait dans la vallée sans qu'aucun obstacle entrave sa course céleste.

Le chant cessa aussi soudainement qu'il avait commencé.

Pendant quelques secondes, un silence total régna, puis une autre montagne – à la droite de Guzman – répondit en entonnant une chanson complètement différente – lente et déchirante – composée de notes très aiguës qui, après s'être élevées, retombaient au sol comme une pluie de cristal.

La langue des chanteurs était incompréhensible. Toutefois, n'importe qui en aurait compris la signification. C'étaient des mots d'amour.

En extase, Guzman dirigea son cheval vers le premier village qu'il apercevait dans la plaine. La musique d'autres voix accompagna son trajet et son arrivée. La population l'observait avec curiosité, mais personne n'osait approcher l'étranger.

Alors Guzman demanda aux indigènes présents si quelqu'un le comprenait. Il répéta la phrase dans toutes les langues qu'il connaissait. Jusqu'à ce qu'un vieil homme lui réponde en français.

Il s'appelait Shaoba Qi. Il avait les mains rugueuses et des yeux sans âge.

Guzman l'interrogea sur les chants qui provenaient des montagnes. Le vieux Shaoba Qi fut heureux de le renseigner, parce que désormais dans la vallée tout le monde connaissait l'histoire et plus personne ne l'interrogeait. Guzman remarqua, une fois encore, que pour rendre un homme heureux il suffit de lui offrir la possibilité de raconter.

Shaoba Qi expliqua qu'à chaque printemps les jeunes hommes du village montaient dans les montagnes pour chanter des chansons à la femme qu'ils avaient choisi d'aimer pour le restant de leurs jours. Et n'en redescendaient que quand ils recevaient un chant de réponse de la part de leur bien-aimée.

— Parfois, ils continuent jusqu'à la fin de l'été. Nombreux sont ceux qui ne redescendent pas et se laissent mourir là-haut. Plus que par la honte de n'avoir pu pénétrer le cœur de celle qu'ils ont choisie, ils sont poussés par la conscience de l'inutilité de vivre le reste de leur vie sans elle.

Les jeunes passaient l'hiver à perfectionner leur chanson, choisissant avec soin les paroles et la mélodie.

— Les phrases contiennent le prénom de la jeune fille. Qui, évidemment, ne sait pas qui chante pour elle. Dans les autres cultures, on choisit autrement, ajouta le vieil homme devant l'air interrogateur de Guzman. On regarde d'autres talents – l'aspect, le poids, les propriétés de famille. Mais nous, les Hmong du Yunnan, nous trouvons notre compagne ou compagnon à travers le chant. L'apparence importe peu, ce qui compte est que l'autre sache chanter, parce que cela signifie qu'il ou elle est en mesure de montrer son amour. Les personnes trop belles n'aiment qu'elles-mêmes, conclut-il sagement.

Guzman se sentit ragaillardi par cette dernière affirmation.

Puis il vit une jeune fille qui versait l'eau d'un broc. Elle accomplissait sa tâche les yeux fermés en répétant à voix basse la chanson qui résonnait dans la montagne à ce moment-là. Guzman se sentit privilégié d'avoir entendu le premier ce qui serait sa réponse.

C'était un oui.

— J'ai compris, dit-il au vieil homme. Maintenant je dois partir. Vos montagnes ont-elles toutes un nom ? demanda-t-il juste avant de remonter à cheval.

— Oui, répondit Shaoba Qi.

— Dommage.

Sans perdre une seconde – même pas pour se reposer – il se mit en route. Il avait besoin d'un musicien. D'un musicien inventeur, pour être précis.

29

Trouver Dardamel ne fut pas simple. Il fallut dix-neuf précieux jours à Guzman pour le débusquer à Genève – où il tentait de refiler sa dernière invention à un imprésario de théâtre.

— De quoi s'agit-il, cette fois? lui demanda Guzman tandis qu'ils buvaient un café à la gare.

— Un xylophone à moteur.

— J'ai besoin de ton aide, enchaîna Guzman.

Il lui raconta l'histoire de la jeune fille mystérieuse, du grand bal et de ce qu'il ressentait pour elle, bien que ne la connaissant pas et ne lui ayant jamais parlé.

— Peut-être n'est-elle que belle, suggéra Dardamel. Peut-être est-elle stupide. Tu y as pensé? Alors pourquoi te donner tant de peine?

Il ne prononça pas ces mots pour désamorcer l'enthousiasme de Guzman. En bon ami, il se contentait de lui administrer une juste dose de réalisme.

— C'est exactement ça, tu ne comprends pas ? l'interrompit Guzman. Parmi toutes les conquêtes, la plus émouvante pour un homme est le cœur d'une femme. J'ai parcouru le monde, j'ai vécu des aventures, rencontré des gens incroyables, mais l'entreprise la plus exaltante est toute proche, bien que quasi impossible.

— Comment vas-tu faire, pour l'histoire du prénom ? demanda Dardamel convaincu.

— Je n'y ai pas encore réfléchi. Je m'en soucierai en temps voulu. Pour l'instant, j'ai besoin d'autre chose.

— Je présume que c'est ce qui t'a conduit à moi. De quoi as-tu besoin exactement ?

— Une musique secrète, affirma Guzman les yeux brillants, en repensant à la leçon apprise dans les montagnes de Chine. Une mélodie que personne ne connaît, mais surtout qu'elle n'ait jamais entendue. Parce que, quand on y réfléchit, rien n'est comparable à l'émotion que l'on ressent quand on entend une nouvelle musique. Chaque fois, à la première écoute, c'est comme si elle avait été créée pour nous. Et cela nous rend spéciaux. J'ai compris que, si je veux cette femme, je dois faire en sorte qu'elle se sente unique.

— Alors tu as besoin de quelque chose d'à la fois passionnel et déchirant. Une musique qui empoisonne le sang – mais un poison qui guérit. Une mélodie qui ait en soi une magie salvatrice, mais en même temps une malédiction. Qui accompagne le geste, une fusion de corps et de sens… En conclusion, une poésie faite non pas de mots mais de notes.

— Où vais-je trouver une telle musique ?

— En Argentine.

— Le commandant a besoin de vous parler, docteur Roumann.

30

Il ne l'avait pas entendu entrer. Jacob Roumann se tourna vers le sergent, agacé.

— Pas maintenant.

— J'ai l'ordre de vous ramener sans délai.

Ils en étaient à un point crucial du récit, qui ne pouvait être laissé en suspens, et cet imbécile avait brisé l'enchantement. Le médecin avait toujours été un homme pondéré, mais à ce moment précis Jacob Roumann avait envie de hurler.

— Deux minutes, ordonna-t-il avec toute la fermeté dont il était capable.

Le sergent attendit quelques instants sans rien dire, soutenant le regard du médecin dans une sorte de lutte de pouvoir. Puis il tourna les talons et sortit de la grotte.

— Continuez, enjoignit Jacob Roumann au prisonnier, je n'ai pas beaucoup de temps.

— Deux minutes ne suffiront pas.

— Peu importe. Vous me raconterez la suite après, mais je veux au moins savoir si Guzman a réussi à trouver cette musique en Argentine.

— Le voyage fut long et difficile, en partie parce qu'il ne savait pas exactement ce qu'il devait chercher et l'Argentine est grande.

— Mais il a réussi, pas vrai ? demanda Jacob Roumann avec angoisse.

— Je peux seulement vous dire qu'il est rentré juste à temps pour le grand bal de l'ambassade d'Espagne. Il est arrivé à Paris la veille au soir, mais il ignorait toujours le prénom de la jeune fille.

Jacob Roumann voulait connaître la suite, mais il jeta un coup d'œil à sa montre gousset et secoua la tête.

— Je n'ai pas envie d'écouter la suite en hâte et avec la pensée du commandant qui m'attend. Vous finirez votre récit plus tard.

— Comme vous voulez, docteur, sourit le prisonnier. Moi, je ne bouge pas.

31

Pendant le trajet, le médecin rumina sa mauvaise humeur. Il trouva le commandant assis sur son lit de camp, les pieds posés sur une caisse de munitions. Il se curait les ongles avec la pointe d'un couteau. Jacob Roumann s'arrêta à deux mètres de lui.

— À la bonne heure, docteur, dit-il sans même lever les yeux. Alors vous discutez mes ordres, maintenant ?

— Je ne me le permettrais pas.

— Quand je vous convoque, j'exige que vous accouriez, affirma-t-il sur un ton détestablement calme.

— Voulez-vous que je me mette au rapport ?

— J'ai décidé de vous retirer la mission, répondit le commandant en balayant sa proposition d'un geste de la main.

— Mais… vous ne savez même pas…

— Peu importe ce que vous réussirez à découvrir. Nous proposerons l'échange aux Italiens dans tous les cas : le prisonnier contre le lieutenant-colonel. S'il est vrai qu'il s'agit d'un officier, ils accepteront.

Le médecin était content, parce que dans le fond c'était une bonne idée et l'Italien aurait la vie sauve. Mais il ressentait également autre chose : pas de la déception, plutôt une sorte de tristesse. Comme quand on doit dire adieu à un ami cher. On sait que c'est juste, mais c'est tout de même douloureux. La peine se lut sur son visage. Le commandant s'en aperçut et s'acharna avec un malin plaisir.

— Je vais envoyer un messager porter notre proposition avant l'aube. Si récupérer leur homme les intéresse, bien sûr. Je les ai toujours considérés comme inférieurs – leur monarchie est inférieure, leur race, leur histoire. Toutefois, j'ai revu mon opinion quand j'ai vu leurs jeunes soldats s'élancer sur notre ligne de feu. Savez-vous comment ils s'y prennent pour les motiver avec autant d'efficacité ?

Jacob Roumann secoua la tête, mais pas par curiosité : il était certain que la réponse serait désagréable et il préférait ne pas l'entendre.

— Avant l'assaut, les officiers tirent dans la tête de deux ou trois hommes – pas nécessairement les lâches, ils les choisissent au hasard. Le message est clair : la pitié n'existe pas. Personne ne peut reculer. Le seul salut possible passe par la défaite de l'ennemi. Admirable, vous ne trouvez pas ?

Répugnant, aurait voulu commenter Jacob Roumann. Mais il se tut. Un goût amer lui asséchait la bouche.

— Merci pour votre collaboration, docteur. Maintenant que je n'ai plus besoin que vous parliez à l'Italien, vous pouvez revenir à vos tâches habituelles.

— Oui, monsieur.

Il salua et s'apprêta à partir, mais le commandant le rappela.

— Je sais que vous vous attendiez à des louanges… pour l'histoire de votre femme et de votre réputation… Toutefois, si vous acceptez un conseil d'ami, une femme comme ça ne mérite pas que vous vous souciiez d'elle, pas même que vous la méprisiez.

Jacob Roumann aurait voulu lui répondre durement qu'ils n'étaient pas amis et qu'il n'acceptait de lui ni jugement ni conseil, et encore moins ce genre de confidences. Mais il se contenta de tourner les talons, et il en eut honte.

32

Il ne lui avait même pas dit au revoir.

Jacob Roumann était allongé sur sa couche, faite de paille et de toile de jute, qui constituait depuis plus d'un an sa tanière sur le mont Fumo. Il se répétait avec regret qu'il ne reverrait probablement jamais le prisonnier.

Les bruits de la tranchée l'empêchaient de trouver le sommeil. Côte à côte, les uns contre les autres, telles des bêtes dans une étable partageant l'air à respirer, les odeurs nauséabondes. Sans possibilité de s'échapper. Contraints de se supporter, d'être les uns sur les autres pour ne pas perdre la chaleur, pour ne pas mourir de froid durant les nuits de tempête.

Condamnés à une étreinte forcée mais, dans le fond, chacun pour soi.

Il n'existait aucun esprit de camaraderie, il était faux qu'entre compagnons on devient comme des frères, que quand on partage la peur – pas seulement la peur de la mort, mais aussi la peur d'être encore vivants – un lien indissoluble se crée. Jacob Roumann observait les autres soldats et percevait l'hostilité dans leurs regards – de la rancœur, des soupçons, de l'envie pour un crouton de pain supplémentaire.

C'est la haine qu'ils nous apprennent. C'est la haine qu'ils veulent de nous. Parce que c'est grâce à la haine qu'on survit à la guerre.

Ou peut-être que rien n'était vrai. C'était lui l'erreur, l'anomalie.

Quel genre d'homme était-il ? Pourquoi se perdait-il en élucubrations inutiles ? Il était abattu. Il aurait dû se réjouir de cet épilogue, dans le fond l'Italien était sauf. Pourtant il n'y parvenait pas. *C'est moi, l'égoïste.*

Ce n'était pas parce qu'il ne connaîtrait jamais la fin de l'histoire. C'était parce qu'il pensait en faire partie, lui aussi. Comme une sorte de droit dont on l'avait injustement privé. Pourtant, ce n'était pas et ce ne serait jamais son histoire. Elle appartenait à quelqu'un d'autre. À Guzman, pour commencer. Désormais, Jacob Roumann se sentait un pauvre médecin de guerre pathétique. Le mari médiocre et imparfait d'une femme qui avait décidé de le remplacer par un autre homme… Il réfléchit. C'était cela qui causait le fardeau qu'il avait dans son cœur.

Personne n'aurait jamais envie de raconter l'histoire de Jacob Roumann.

Le ciel s'ouvrit au-dessus de lui, les étoiles apparurent. La nuit était limpide, derrière l'écran de nuages. Le glacier émit un son mystérieux – comme un bruit d'eau profond. Comme une mer immobile sous l'influence de la lune. Parfois, on l'entend trembler ou crépiter. On croirait qu'il respire – comme un animal en léthargie depuis des siècles.

Dans ce rare et fragile moment de paix, Jacob Roumann prit conscience qu'il avait vieilli. Minuit était passé et un autre anniversaire était derrière lui – le plus triste de sa vie.

Il se força à repenser à sa femme et à un moment de bonheur passé avec elle. C'était son histoire, dans le fond. Même si personne ne la racontait, c'était celle d'une vie. Sa vie.

Il pensa à la fleur de papier cachée entre les pages jaunies de son agenda. Il la conservait à cet endroit parce qu'il était certain que de cette façon, en l'ayant toujours devant les yeux, il parviendrait à l'oublier. Or personne n'a le droit d'oublier.

Jacob Roumann n'avait jamais eu l'ambition de donner un nom à une montagne. Néanmoins, son plus grand regret resterait lié à une femme merveilleuse.

Des années auparavant, elle lui avait dit oui. Toutefois, comme elle lui avait écrit dans sa lettre de rupture, parfois les promesses alourdissent le cœur.

33

Jeune médecin, Jacob avait été embauché à l'hôpital général de Vienne. Un grand ponte l'avait choisi comme assistant, mais, pour lui faire payer le prix de ce privilège, il le contraignait sans scrupule à des gardes épuisantes et à des horaires absurdes. Jacob ne terminait jamais avant minuit et il se levait à 5 heures.

Chaque fois qu'il arrivait à l'hôpital ou en repartait, il passait par la petite salle réservée aux internes. Ce n'était guère plus qu'un vestiaire où avaient été placés deux fauteuils en cuir élimé et un réchaud à charbon pour faire du thé. Deux rangées de portemanteaux étaient accrochées aux murs. Chacun avait son crochet pour suspendre sa blouse à la fin de la journée – les places n'étaient pas attribuées mais régies par une habitude spontanée.

Un matin, encore tout ensommeillé, il enfila sa blouse et glissa mécaniquement les mains dans ses poches. Il y sentit quelque chose de fin et rugueux. Il n'oublierait jamais cette sensation – comme le début imperceptible de toute aventure, penserait-il par la suite.

Il sortit sa main de sa poche et y découvrit une edelweiss réalisée avec une feuille de papier journal.

Étonné et interdit, il se demanda comment elle était arrivée là. Il fut tenté de jeter l'étrange objet mais décida finalement de le garder.

Pendant la journée, il n'y pensa plus. À la fin de sa garde, il avait oublié sa découverte. Comme toujours, il troqua sa blouse contre son manteau et rentra chez lui.

Le lendemain matin il répéta l'opération mais, un instant avant de glisser ses mains dans ses poches comme à son habitude, sans savoir pourquoi il repensa à l'événement de la veille. Guidés par une sorte de sixième sens, ses doigts glissèrent dans le compartiment et sentirent quelque chose.

Une deuxième fleur de papier. Une tulipe.

Cette fois, il fut secoué par sa découverte. Il déplia les pétales et découvrit qu'il ne s'agissait pas de papier journal. C'était la première page d'un livre. Des vers en rime, des octosyllabes. Il ne se rappelait pas l'œuvre mais il les avait lus, des années auparavant, au lycée. Ils étaient magnifiques, pourtant ils causèrent chez lui un certain malaise.

Cette sensation – un mélange de trouble et d'excitation – l'assaillit plusieurs fois au cours de la journée, comme une chatouille au cœur. Puis il se souvint : c'étaient les vers du *Roland furieux* de L'Arioste, tandis que ceux contenus dans la fleur de la veille étaient de Shakespeare. Jacob était un homme pragmatique, peu enclin à de telles frivolités : il ignora l'affaire. Le soir, il remit son manteau et, non sans crainte, accrocha sa blouse au crochet habituel.

Le lendemain, l'attendait un lys qui renfermait *L'Infini* de Leopardi.

Jacob avait éminemment désiré cette confirmation, pourtant il n'apprécia pas. Durant la nuit, il avait laissé libre cours à son pessimisme et s'était convaincu qu'il ne pouvait s'agir que d'une blague de la part de ses collègues plus âgés, une sorte de bizutage. À ce moment-là, dans la petite salle bondée d'internes, probablement quelqu'un riait de lui. Alors, sans regarder autour de lui, il jeta le lys d'un geste insouciant mais ostentatoire, de façon à ce que tout le monde le remarque.

Vingt-quatre heures plus tard, il ne trouva pas une quatrième fleur de papier mais le lys qu'il avait jeté. Il était un peu froissé, mais on l'avait reformé au mieux.

L'auteur de l'œuvre ne voulait pas être ignoré.

Jacob n'aimait pas les mystères, surtout quand ils le faisaient passer pour un imbécile. Il réfléchit donc à une façon de ruiner les plans du fleuriste inconnu. Le soir, il partit le dernier, mais au lieu de suspendre sa blouse au crochet habituel il en choisit un libre – confiant dans le fait qu'on ne pouvait distinguer sa blouse des autres.

Pourtant quelqu'un la reconnut, parce que le cinquième jour une nouvelle fleur attendait dans sa poche.

34

Le rituel des fleurs de poésie se répéta vingt-sept matins de suite. S'il s'était agi d'une plaisanterie, cela aurait duré moins longtemps. Aussi, peu à peu, Jacob se convainquit que c'était autre chose. Pour la première fois de sa vie, il se sentit spécial.

Il se demandait depuis longtemps qui pouvait être l'auteure de ce geste – il était persuadé, depuis le début, que c'était une femme. Cela pouvait être l'œuvre d'une patiente ou d'une parente de l'un des malades. Toutefois, c'était nécessairement quelqu'un qui avait accès à la salle des internes. Une personne qui y passât inaperçue. Une personne qui avait le loisir de l'observer sans être vue.

L'une des sœurs ?

L'hypothèse était attrayante, il l'écarta parce que les religieuses qui s'occupaient des malades durant la journée se retiraient au couvent dès 22 heures, comme décidé par leur évêque. Or celle qui déposait ses cadeaux floraux dans sa poche restait au-delà de cet horaire.

Une infirmière de nuit.

C'était la réponse, la seule possible. Chaque soir, les infirmières remplaçaient les sœurs jusqu'au lendemain matin.

Le vingt-neuvième jour, Jacob suspendit sa blouse et s'installa dans l'un des fauteuils en cuir de la petite salle, avec l'idée d'y passer la nuit et de surprendre *la jeune fille aux fleurs de papier* – ainsi l'avait-il baptisée. Mais il s'endormit trop vite.

Le matin, il fut réveillé par un rayon ambré qui filtrait par la fenêtre. Il ouvrit les yeux et découvrit sur ses genoux la fleur habituelle – une orchidée. Il était sur le point de se maudire de s'être endormi quand il la vit.

Elle se tenait debout à quelques mètres de lui, serrée dans un manteau foncé. Une petite coiffe blanche d'infirmière sur ses cheveux châtains relevés sur sa nuque. Les mains croisées devant elle.

— Mon pauvre, dit-elle, tu n'as pas réussi à rester éveillé. Je sais ce que tu endures ici.

— Qui es-tu ? réussit seulement à demander Jacob, encore étourdi de ce qui lui arrivait.

— Moi aussi, je me suis longtemps demandé qui était le jeune médecin que je frôlais tous les soirs en arrivant et tous les matins en repartant. Tu ne t'en es jamais rendu compte, mais nous passons l'un à côté de l'autre pratiquement tous les jours, sur les marches de l'hôpital, comme un rendez-vous. Une coïncidence programmée.

— Pourquoi tout ceci ? l'interrogea Jacob, qui craignait de demander qui pouvait programmer de telles coïncidences.

— Pour te contraindre à penser à moi alors que je n'existais pas encore.

Elle avait atteint son but.

— J'ai longtemps désiré connaître ton nom, lui avoua-t-il. Peu m'importaient ton visage ou ton aspect, je voulais juste savoir que tu existais vraiment. Alors, tu veux me le dire ?

Elle sourit.

— Anya Roumann.

Le fait qu'elle se soit immédiatement attribué son propre nom de famille le frappa. Comme si elle lui disait : me voici, je suis la femme de ta vie.

Une semaine plus tard, la jeune fille aux fleurs de papier devint son épouse.

Et maintenant, je l'ai perdue, pensa Jacob Roumann en faisant tourner entre ses doigts une orchidée de papier froissée. Allongé sur son lit, dans la tranchée fétide, il imaginait le parfum de cette fleur. C'était cela, le mérite d'Anya. Avoir instillé dans le cœur d'un homme rationnel et détaché le présage d'un monde parallèle, totalement différent, où les fleurs de papier ont une odeur et où les mots d'une poésie suffisent à matérialiser les choses. Au début, il n'y croyait pas. C'était elle qui le lui avait appris. Ensuite, il n'avait pas été capable d'empêcher un autre homme de l'emporter. Il subissait les événements. Anya était partie pour toujours.

— Il est revenu.

Le docteur ne reconnut pas tout de suite la voix du sergent.

— Le messager est revenu. Il a rapporté que les Italiens veulent le nom et le grade du prisonnier, sinon ils ne feront rien pour le sauver.

Jacob Roumann se sentit coupable. Son ami n'était pas encore sauf. Il se demanda si cela avait été son stupide égoïsme – vouloir connaître à tout prix la fin de l'histoire de Guzman – qui avait déterminé ce changement de destin. Non. À l'instar de sa rencontre avec Anya, celle avec le prisonnier faisait partie des « coïncidences programmées » de sa vie. Mais cette fois, le destin lui offrait un rôle dans son dessein.

— Pourquoi venez-vous me dire ça ? demanda-t-il au sergent.

— C'est le commandant qui m'envoie, répondit l'autre gêné. Il a demandé…

— Dites-lui que je poursuivrai l'interrogatoire. Nous avons déjà perdu trop de temps.

Il regarda sa montre – il était 4 heures passées.

Il ne lui restait que deux petites heures pour convaincre le prisonnier de sauver sa vie.

35

Il le trouva en train de fumer. Il affichait une sérénité surprenante, pour un homme qui allait être fusillé quelques heures plus tard. Jacob Roumann était convaincu que l'autre avait en tête un but précis. Cette considération le soulageait. *Il finira par me dire comment il s'appelle*, se répétait-il. *Il me l'a promis.*

— Votre commandant est un type pour le moins singulier, dit l'Italien.

— Il est venu ?

— Il vient de partir. Il m'a fait une proposition.

— Quel genre ?

— Il a dit que, si je lui révélais qui je suis, les soldats qui ont été capturés avec moi auraient également la vie sauve. Il m'a donné sa parole.

— C'est très bien. Pour quelle raison avez-vous refusé ?

Le prisonnier le regarda fixement.

— Pourquoi suis-je ici ? Que croyez-vous que je fasse ici ?

Pour la première fois, le doute s'insinua dans l'esprit de Jacob Roumann.

— Il y a beaucoup de choses que vous ignorez, docteur. En premier lieu, votre lieutenant-colonel est mort.

— Mort ?

— C'est arrivé après que nous l'avons capturé, il était gravement blessé. Et votre commandant le sait depuis un bail.

— Donc aucun échange n'est possible. Alors le messager...

— C'était du bluff. Vous ne vous êtes vraiment jamais demandé comment moi et mes hommes nous sommes retrouvés ici ? Pourquoi nous avons été capturés ?

— Comment ça « pourquoi » ? demanda Jacob Roumann, ce qui revenait à admettre qu'il ne s'était pas posé la question. Je sais que vous étiez en repérage sur le versant sud. Vous nous espionniez ?

— Vous ne comprenez vraiment pas ? demanda l'Italien avec un sourire.

Jacob Roumann n'était pas un stratège, certaines logiques militaires lui échappaient. Il réfléchit plus attentivement et arriva à une conclusion.

— Vous vous êtes laissé capturer exprès.

L'Italien ne confirma pas, ne démentit pas.

— Vous estimiez nos défenses.

— Plusieurs patrouilles ont mis à l'épreuve d'autres points de votre front, mais nous seuls avons été capturés. Cela veut dire que vous êtes vulnérables.

— Votre armée sera bientôt ici, ils attendent le moment opportun, pas vrai ? Pourquoi me racontez-vous ça ? Ne craignez-vous pas que j'en parle au commandant ?

Le prisonnier se tut.

— Il le sait déjà, conclut Jacob Roumann, effaré. Et le commandant n'a pas l'intention de l'empêcher ?

— Réfléchissez : même s'il le voulait, comment le pourrait-il ? Vous êtes seuls, ici : le dernier avant-poste autrichien. Vous avez perdu le contrôle des sommets, hormis le mont Fumo. Certes, vous êtes mieux équipés, mais vous êtes inférieurs en nombre.

— Alors qu'essaye de faire le commandant ? Je ne comprends pas…

— Quand cela arrivera, il faudra être prêts.

— Il offrira aux Italiens votre vie en échange d'un sauf-conduit pour lui-même. Mais pour ceci, il a besoin d'être sûr de votre identité et de votre grade.

— Et moi, je me ferai fusiller pour contrecarrer ses plans, rit le prisonnier.

Jacob Roumann sentit monter en lui une étrange colère.

— Ce n'est pas vrai. Vous gagnez du temps, parce que vous savez que bientôt les vôtres attaqueront et vous serez saufs. L'histoire que vous me racontez n'est qu'une diversion ! Vous vous jouez de moi !

— Calmez-vous, le rassura le prisonnier en secouant la tête. Personne ne viendra nous sauver. L'attaque n'est pas imminente. Mes hommes et moi sommes des pions à sacrifier. Vous croyez que les Italiens ne savent pas ce qu'il en est ? Les soldats sont fusillés pour espionnage, les officiers deviennent monnaie d'échange et rentrent chez eux. Mais pas cette nuit, pas ici, pas moi. J'avais déjà pris ma décision quand j'ai accepté l'ordre de mission, donc ça ne sera pas votre faute.

Jacob Roumann comprit son plan, la rage céda la place au désespoir.

— Mais maintenant la donne a changé. Si vous accordez au commandant ce qu'il demande, vous pourriez au moins sauver vos hommes.

— Vous feriez confiance à un commandant qui trahit ses propres hommes, vous ?

Sur le moment, le médecin ne sut que répondre. Son expression se durcit.

— Je ne peux pas accepter qu'une seule vie soit gâchée, c'est mon serment de médecin. Vous le comprenez, pas vrai ?

— Je le comprends.

— Alors j'écouterai le reste de votre histoire et à la fin vous me direz votre nom et votre grade, comme vous l'avez promis au début. Parce que, même si vous ne faites pas confiance au commandant, moi, je vous ai fait confiance. Ensuite, ça sera à moi de décider quoi faire. Je vous allégerai la conscience.

— Et votre conscience, qui l'allégera ?

Jacob Roumann ne répondit pas, il changea de sujet :

— Guzman était rentré d'Argentine juste à temps pour le grand bal de l'ambassade d'Espagne.

Le prisonnier alluma une cigarette.

36

C'était une splendide soirée de mai. Paris embaumait. Le soleil se retirait des rues comme une marée. L'air autour de l'ambassade d'Espagne vibrait de joie.

Devant le bâtiment, des files de voitures déchargeaient les invités pour repartir aussitôt. Par les grandes fenêtres éclairées, on apercevait les silhouettes élégantes des hôtes qui peuplaient la salle des fêtes. Les notes de l'orchestre constituaient un écho agréable et fascinant pour la foule des exclus rassemblés sur le trottoir d'en face. Tous les regards étaient rivés sur le premier étage, admiratifs. Ils étaient trop occupés à fantasmer sur l'existence dorée de ces demi-dieux pour regretter de ne pas en faire partie.

Comme prévu, Guzman arriva vers 22 heures, quand la fête battait son plein. Il se présenta à la porte dans un frac brillant. Quand ils le virent, les amis du club qui lui avaient lancé le défi échangèrent des regards amusés. Pendant cinq mois, ils s'étaient demandé ce qu'il devenait. Ils avaient supposé que Guzman, incapable de tenir sa promesse, avait préféré disparaître de la circulation. Mais il était bien là, et personne ne voulait rater le spectacle de l'humiliation qui l'attendait sans aucun doute.

Guzman sourit, les salua d'un signe de tête puis embrassa la salle du regard.

De façon prévisible, la reine de la soirée était la fille de l'ambassadeur. La jeune fille sans nom qui avait alimenté l'imagination de tant d'hommes et les ragots des Parisiens.

Elle portait une robe bleue et un diadème dans ses cheveux relevés sur sa nuque. Elle était magnifique.

Guzman l'observa un moment. Elle se tenait à côté de son père tandis que défilaient devant elle de nombreux cavaliers qui l'invitaient à danser. Elle acceptait poliment – ne serait-ce que parce que, en tant que fille d'ambassadeur, elle ne pouvait causer de tort à personne. Toutefois, chaque fois qu'elle dansait avec l'un d'eux, elle semblait un peu plus ennuyée et agacée. On le sentait à ses sourires tirés et à son regard las.

De temps à autre, elle se réfugiait entre ses deux amies qui l'avaient suivie depuis l'Espagne et elle s'autorisait quelques conversations amusées au sujet d'un petit événement de la soirée ou du comportement étrange de l'un des convives.

Debout, adossé au mur, Guzman étudia chacun de ses gestes, chacune de ses postures, tentant d'interpréter les variations de son humeur. À l'affût du moment adéquat.

Au milieu de toute l'agitation, elle ne sembla pas le remarquer. En outre, il n'était pas le genre à taper dans l'œil au premier abord.

Dans le même temps, ses amis le montraient du doigt à distance. Ils riaient ouvertement de lui, convaincus qu'il se ridiculiserait bientôt. Guzman ne s'apercevait de rien.

Comme si un mystérieux arbitre lui avait donné le signal de départ, Guzman quitta enfin le mur. D'un simple geste, il avait déclenché un mécanisme obscur et calculé – comme aux dominos, quand les pièces glissent les unes sur les autres, inexorablement. Alors qu'il allait à la rencontre de la jeune fille, il se retourna pour regarder les musiciens, qui devaient au moment convenu faire ce pour quoi ils avaient été payés. Il avançait d'un pas assuré, conscient de ce qu'il allait lui dire, des premiers mots qu'il prononcerait pour cette femme qu'il ne connaissait même pas.

Tandis qu'il avançait vers elle en traversant la foule, il se répétait mentalement ce mot. En articulant bien les lettres avec sa bouche, en silence. Comme un secret qui était là, à la portée de tous, écrit sur ses lèvres – il aurait suffi de le lire. Mais personne ne pouvait le faire, à ce moment-là, autour de lui.

Le mot secret, visible et invisible, était un prénom. Le prénom de la belle jeune fille ; il en était certain.

Arrivé près d'elle, il prononcerait son prénom. Et si elle se retournait, si par un étrange jeu du destin elle le faisait, alors il comprendrait tout, tout d'un coup, et il saurait qu'il l'avait trouvée.

Il arriva à côté d'elle.

— Isabel…

Encore une fois.

— Isabel.

Elle se retourna.

Dans le salon, le silence se fit. Personne ne rit. L'orchestre s'arrêta. Soudain, tous les regards furent rivés sur eux.

— Comment connaissez-vous mon prénom ?

— Vous ne pouviez pas vous appeler autrement. Vous dansez, Isabel ?

— Mais l'orchestre ne joue pas.

À peine eut-elle prononcé ces mots que les musiciens repartirent.

Nous étions à Paris, le 26 mai 1900, il était 23 heures, 21 minutes et 40 secondes. À dix mille kilomètres de cet instant, un homme prénommé Martin mourait écrasé par le poids d'une barre d'acier dans les fonderies de Cleveland. Ce même instant, un an plus tôt, une inconnue avait accouché d'un enfant sur l'autel principal de Notre-Dame. À exactement huit heures de cet instant allait se produire un événement que les hommes n'oublieraient jamais – la dernière éclipse de Jérusalem.

À cet instant, l'orchestre entonna une musique sans nom. Une musique que personne ne pouvait connaître, parce qu'elle n'arriverait en Europe que des années plus tard. Une musique dont la plupart des invités avaient entendu parler – de río de la Plata, elle était arrivée aux bas-fonds de Buenos Aires, où les Blancs se mêlaient aux Noirs pour donner vie à une danse aussi sensuelle qu'une prière interdite et aussi maudite qu'une fièvre.

L'orchestre entonna un *tango.*

Isabel observa un instant la main tendue de Guzman. Elle, espagnole, n'était pas gênée par cette mélodie. Au contraire, d'une certaine façon elle évoquait quelque chose de sa terre – le soleil qui éblouit, le flamenco, les nuits de canicule. C'est sans doute pour cette raison qu'elle accepta l'invitation.

Bien qu'il mesurât une tête de moins qu'elle et malgré son physique disgracieux, Guzman la conduisit avec brio. En réalité, la leçon était qu'il n'y avait pas de pas à suivre. Il s'agissait d'une danse libre et, à la différence des danses habituelles, les corps se touchaient à peine. Pourtant, c'était infiniment charnel. La musique, alliée à la passion des regards, créait l'illusion.

L'orchestre jouait le tango avec les instruments traditionnels – personne n'aurait osé apporter un bandonéon au grand bal d'une ambassade ! Cela pouvait sonner comme une valse étrange : le rythme n'était pas donné par la mélodie mais par un flot de mystérieuses percussions qui coulait en profondeur.

Personne n'aurait pu critiquer cette musique sans attaquer la réputation de l'ambassadeur. Mais tout le monde y reconnut l'esprit du péché.

Isabel semblait enfin s'amuser dans les bras de Guzman. Parce qu'il avait saisi ce que les autres ne soupçonnaient même pas. C'est-à-dire que la fille d'un ambassadeur – loin de chez elle, de ses endroits familiers, obligée de contenir la fantaisie de ses vingt ans dans les règles de l'étiquette diplomatique – n'attendait qu'une chose : transgresser les règles.

Danser sur ces notes avec cet inconnu étrange mais intriguant qui sentait le tabac et qui lui avait volé son prénom lui offrait l'occasion de fuir loin de ce monde formel, tout en restant exactement là où elle se trouvait.

— Vous me dites comment vous vous appelez, ou moi aussi je dois le deviner ?

— Guzman, répondit-il avec un sourire béat.

37

Le prisonnier éteignit ce qui restait de sa cigarette.

— Inutile de vous dire que le scandale éclata les jours suivants. Il démarra comme un bruit qui court, un simple ragot, et devint vite le sujet de discussions houleuses – « un tango, et puis quoi encore ! » tonnèrent les moralistes, les bien-pensants et même un ministre. Paris était une ville libre, l'emblème de la liberté, même. Mais tant que tout restait confiné dans les cabarets, les clubs privés ou le monde excentrique des artistes. Oser une telle provocation dans un milieu institutionnel équivalait à déclencher une guerre.

— Alors que se passa-t-il ? demanda Jacob Roumann, anxieux.

— Rien.

— Comment ça, rien ?

— Après cette représentation, l'orchestre qui avait joué le tango se sépara. Plus tard, certains soutinrent avoir vu plusieurs de ses membres jouer dans l'une des boîtes enfumées qui animaient les nuits parisiennes.

— Ce qui veut dire qu'ils avaient été engagés pour la soirée du grand bal en se faisant passer pour des musiciens respectables.

— Oui, mais l'indiscrétion ne fut jamais confirmée, coupa court l'Italien.

Jacob Roumann sourit, complice. Une question lui brûlait les lèvres.

— Comment Guzman a-t-il deviné le prénom de la jeune fille ?

— Ça, personne ne l'a jamais su. Guzman ne l'a jamais raconté. Je pense qu'il ne voulait pas dévoiler le truc de ce tour de magie. Cela aurait retiré de sa saveur à l'histoire.

— Après cette soirée, a-t-il réussi à se faire aimer de la jeune fille ?

— Isabel et lui furent tout de suite heureux, admit le prisonnier pour le satisfaire. Ils s'aimaient, mais ils ne se le sont jamais dit. Ils le savaient, c'est tout. Elle le suivit dans ses étranges voyages à la recherche d'incroyables montagnes. Là-haut, il l'observait avec tout le reste. Et ce « avec » lui semblait juste.

— Il ne lui a jamais demandé de l'épouser ? Bien sûr que non, répondit le médecin lui-même. Avec son physique, Guzman ne pouvait pas prétendre à tout.

— Comment pouvez-vous en être si sûr ? Sur le Kilimandjaro, Guzman lui a tendu un petit écrin.

— Une bague ?

— Plus que ça... Une pipe.

— Une pipe ?

— Il lui dit qu'il s'agissait d'une pipe de fiançailles.

— Vous vous payez ma tête !

— Pas du tout. Il lui dit : prends du tabac, allume-le jusqu'à échanger ta respiration avec lui.

— Jusqu'à échanger ta respiration avec lui, répéta le médecin fasciné.

Ils rirent.

Soudain Jacob Roumann redevint sérieux, comme s'il avait pressenti quelque chose – un orage qui s'annonce durant une belle journée de printemps.

— Ce n'est pas tout. Il y a autre chose, pas vrai ?

Le prisonnier inspira profondément, comme pour confirmer.

— Malgré les fiançailles, Guzman et Isabel ne se sont jamais mariés.

— Pourquoi ?

— Vous vous souvenez des trois questions ? Celles qui sont au début de cette histoire ? Vous vous en souvenez bien ?

— Qui est Guzman ? Qui êtes-vous ? Qui était l'homme qui fumait sur le *Titanic* ?

— Maintenant nous pouvons répondre à la première, vous ne pensez pas ?... Guzman est la fumée qui pimente les histoires, les montagnes parmi lesquelles chercher celle à qui donner un nom, le cigare d'argent d'un capitaine portugais à allumer avant de mourir, et Isabel. Mais qui était l'homme qui fumait sur le *Titanic* ? Qu'a-t-il à voir avec moi, avec Guzman et avec Isabel ?

38

Parmi toutes les histoires qu'on raconte sur les dernières heures du grand navire, il y a celle d'un homme qui, alors que tout sombrait, au lieu de tenter de sauver sa peau comme les autres, descendit dans sa cabine de première classe, enfila un smoking puis remonta sur le pont et, imperturbable, se mit à fumer.

Qui était cet homme qui, apparemment, voyageait seul ?

L'histoire circula quelque temps après le naufrage. Au début, elle ressemblait à l'un des innombrables récits sur les fantômes du *Titanic* qui plaisaient tant aux gens. On ne savait pas si le protagoniste avait réellement existé ou s'il s'agissait d'une légende.

Un jour – on ne sait ni comment ni pourquoi – quelqu'un a posé des questions. En recoupant les descriptions et en interrogeant les survivants de cette nuit-là, un nom a émergé.

Otto Feüerstein, négociant de tissus, en voyage d'affaires.

En effet, un Otto Feüerstein figurait sur la liste des passagers du *Titanic.* Tout le monde finit par s'accorder sur le fait que c'était bien lui qui fumait sur le pont.

Ainsi, de nouveaux détails furent mis au jour. Quelqu'un se souvint l'avoir rencontré au dîner ou avoir eu avec lui une conversation passionnante sur la conjoncture favorable au commerce textile.

D'un coup, de silhouette mystérieuse Otto Feüerstein devint l'homme le plus populaire du bateau. Soudain, tout le monde le connaissait.

Or en allant rencontrer la famille du commerçant, qui vivait à Dresde, pour approfondir l'histoire, on découvrit une autre vérité, difficile à expliquer et même à accepter.

En réalité, Otto Feüerstein n'était jamais monté à bord du *Titanic.* Simplement parce que, deux jours avant le départ, il était mort d'une péritonite.

Alors qui était l'homme qui voyageait seul et qui, en toute probabilité, s'était fait passer pour le marchand de tissus ?

Qu'est-il devenu ? Est-il vraiment mort ? Nous savons que la nuit du naufrage correspond à la dernière fois que quelqu'un l'a vu. Personne ne se rappelle l'avoir croisé par la suite – dans la cohue ou dans l'eau, pleurant, priant ou demandant de l'aide.

Personne.

39

Le regard de Jacob Roumann contenait une interrogation.

— Le *Titanic*... Cela s'est passé cette nuit, n'est-ce pas ? Il y a quatre ans. Quelques heures avant la fin de mon anniversaire, maintenant je m'en souviens.

Le prisonnier acquiesça.

— La nouvelle a mis un peu de temps à se diffuser, elle n'est arrivée à Vienne que trois jours plus tard. J'avais oublié la date précise parce que je reliais le naufrage au moment où j'avais découvert la tragédie dans le journal. C'est une étrange coïncidence, n'est-ce pas ? demanda-t-il en regardant l'Italien droit dans les yeux.

— Avant de vous hasarder dans ce raisonnement, je vous en prie, laissez-moi terminer l'histoire.

— En vérité, je ne suis pas certain de vouloir connaître la fin... J'ai peur que le reste ne soit pas agréable. Je me trompe ?

— Vous pourriez me donner encore une cigarette ?

Jacob Roumann avait le sentiment que l'Italien le tenait, et cela lui déplaisait. Il était de plus en plus convaincu d'être devenu le pion d'un plan bien orchestré. Le récit que lui offrait le prisonnier servait-il à lui faire baisser la garde, à le rendre malléable ? Il n'avait plus le choix, il devait suivre le flux et découvrir où cela le conduirait. Il entreprit de rouler des cigarettes avec les dernières feuilles.

— Bientôt nous n'aurons plus de tabac et le jour se lèvera, il faut nous dépêcher.

— Je suis d'accord, dit l'Italien. Guzman et Isabel étaient ensemble depuis huit ans. Comme je l'ai dit, ils ne s'étaient pas mariés. Elle aurait voulu mais lui – fort de ce qui était arrivé à ses parents – reportait. Par amour, Isabel était devenue une grande fumeuse. Guzman créait pour elle de nouveaux mélanges de tabac. Ils étaient en parfaite symbiose de goût et de plaisir, et cela lui suffisait.

Jacob Roumann avait compris qu'il s'agissait d'une prémisse, pour adoucir un peu ce qui allait suivre.

— Quand cela s'est-il passé ?

Le prisonnier s'assombrit.

— En 1908, en revenant dans la ville où ils s'étaient rencontrés.

40

Le prince italien s'appelait Davide, mais à Paris tout le monde l'appelait *Davì*. Le collectionneur.

Pour Davì, les gens étaient des distractions. Il jouait avec eux. De temps à autre, il choisissait une nouvelle personne, et il s'amusait avec. L'élu(e) n'avait aucune chance de lui échapper, du moins tant que le jeu n'était pas achevé.

Par exemple, il fut un moment où il entretint des relations amoureuses avec deux femmes mariées, à l'insu de chacune. Las de se partager et d'obéir à leurs souhaits, il élabora un plan non seulement pour se débarrasser des deux mais aussi pour se distraire. Il fit croire aux maris respectifs que la femme de l'un était la maîtresse de l'autre. Les deux hommes s'affrontèrent en duel au pistolet dans un bois dans la banlieue de Paris. Les témoins venaient de se mettre d'accord quand on découvrit que les armes avaient disparu. Comme aucun des deux duellistes ne voulait se retirer le premier – pour ne pas passer pour un lâche qui profitait de la situation –, ils se battirent à mains nues. Bien sûr, aucun des deux ne parvint à tuer l'autre. Exténués, ils décidèrent de se venger sur leurs femmes respectives, qui depuis sont devenues incroyablement fidèles.

Davì était le fils unique d'un noble florentin qui l'avait eu sur le tard. On racontait que son père, pour se créer un héritier, avait engrossé l'une de ses servantes, ou que la servante avait séduit le patron pour se faire mettre enceinte. Davì ne faisait rien pour démentir ces histoires. Au contraire, il prenait un malin plaisir à les alimenter. « Je suis le fruit d'une machination, disait-il de lui-même. Ou peut-être le résultat d'une bonne action de la part d'une brave femme envers un vieil homme déjà voué à l'enfer. »

Davì n'avait jamais rien entrepris, en un peu plus de trente ans de vie. Son seul souci était de gaspiller l'immense héritage de son père. Parfois, il dénichait à Montmartre des peintres, des sculpteurs, des poètes ou des romanciers à financer. Il était doté d'un flair hors du commun – il lui suffisait de lire dans le journal une critique positive ou d'entendre répéter plus d'une fois le nom de l'un de ces artistes sans le sou dans les salons mondains. Dès qu'il avait l'intuition que l'un d'eux pouvait être un génie, il se présentait chez lui et lui proposait une somme d'argent indécente pour qu'il arrête de produire ses propres œuvres.

— Je suis un mécène! affirmait-il fièrement. Je sauve le monde du mensonge de l'art!

Davì pouvait compter sur son charme sauvage qui n'avait d'égal que son magnétisme inné. Il savait conquérir les faveurs des femmes. Les autres hommes n'entraient pas en compétition avec lui, au contraire, ils se disputaient son amitié. Mais le principal talent de Davì était de réussir à se faire pardonner n'importe quel excès.

À Paris, l'air gascon du prince italien faisait des ravages. Il était aristocrate mais aussi révolutionnaire – or, on le sait, les Français ont un faible pour les révolutionnaires. Son esprit de contradiction était la raison de son succès.

Il fréquentait avec la même tranquillité effrontée les hautes sphères et les bas-fonds. Avec lui, tout finissait irrémédiablement en bagarre ou en scandale. Ses exploits faisaient du bruit. Il ne se contentait pas d'être une mode passagère, la distraction momentanée de riches lassés de leur fortune. Une fois, pour les choquer, il se présenta à l'opéra avec une magnifique Gitane en costume traditionnel.

Davì désirait.

Il collectionnait les personnes. Ou des parties d'elles. Des sentiments, voilà ce qu'il voulait. Il les déchaînait chez les autres, puis il se les appropriait. Ainsi leur colère devenait sa colère. Leur affection, son affection. Leur stupeur, sa force. Comme s'ils étaient des choses, et non des êtres humains.

En 1908, Davì trouva un nouvel objet à désirer.

Un objet au nom de femme.

La plus belle femme que Guzman ait jamais vue.

41

Davì connaissait Guzman depuis de nombreuses années. Ils s'étaient rencontrés pour la première fois à Capri, dans la villa d'un ami commun – un noble napolitain passionné de chevaux.

Un soir, après le dîner, Guzman régala les invités avec l'histoire d'un volcan sous-marin situé au centre de la Méditerranée qui, une fois tous les cent ans, entre en éruption en faisant émerger une petite île qui reste à la surface quelques mois avant de replonger à nouveau sous l'effet de violents tremblements de terre.

— Dans le passé, les navigateurs qui l'apercevaient pensaient qu'il s'agissait du purgatoire, affirma Guzman enveloppé par la fumée d'un magnifique « pur » cubain qui lui donnait des airs d'esprit en peine.

Davì ressentit immédiatement une grande affection pour cet homme qui, à la différence de ceux qui l'entouraient, ne se fatiguait pas à chercher l'approbation hypocrite des autres. Guzman ressentait du plaisir à être agréable. Pour cette raison, Davì décida d'en faire son unique ami.

Ils parcoururent ensemble quelques coins du globe à la recherche de montagnes exotiques et inconnues ; durant ces voyages Davì se comportait comme un disciple, oubliant ses excès et son caractère exubérant au profit d'une attitude docile et avide d'apprendre.

Ensuite, pendant une longue période, leurs chemins se séparèrent. Mais quand Guzman revint à Paris avec Isabel en 1908, Davì était en ville depuis quelques mois et s'était déjà forgé une terrible réputation.

Ils se fixèrent rendez-vous pour évoquer le bon vieux temps.

Davì avait entendu dire que son ami avait trouvé l'amour et on lui avait raconté l'histoire du grand bal de l'ambassade d'Espagne, qui remontait à huit ans. Toutefois, il n'avait jamais vu Isabel.

Quand Guzman la lui présenta, il resta bouche bée. Il comprit que, s'il se taisait plus longtemps, il passerait pour un idiot. Il ne lui était jamais arrivé d'être troublé. C'était lui, en général, qui faisait cet effet aux autres.

Isabel était une magnifique rebelle, une femme fière qui ne se laissait pas dompter, et pour cette raison, justement, il fallait en permanence conquérir ses attentions.

En plus d'être attirante, elle était pleine d'esprit. Curieuse et imprévisible, rien ne la décourageait. Quand soudain elle souriait, c'était comme un soleil inattendu un jour de pluie. Elle était spontanée là où les autres femmes auraient consciencieusement réfléchi – ainsi pouvait-elle retirer ses chaussures et grimper sur un rocher où elle avait vu des fleurs de rhododendron, décider de se mettre à peindre, ou fumer en public.

Cette femme, cette magnifique présence, cet ange avec ce… machin, pensa Davì. *Cet homme aux doigts jaunes, à l'haleine chargée, sympathique, oui, beau parleur, mais tellement laid !*

Malgré toute son affection pour Guzman, il ne pouvait s'empêcher de le mépriser. La vérité était que Davì refusait de s'avouer qu'il était tombé amoureux d'Isabel.

Plus qu'une injustice pour les yeux, le couple constituait un affront à des sentiments qu'il n'avait jamais ressentis. Ce qu'il éprouvait pour elle l'anéantissait. La haine pour Guzman lui semblait la seule façon de ne pas se laisser dominer – comme un animal en cage qui ne se résigne pas d'avoir perdu la liberté et qui continue donc à se débattre, bien qu'au fond il sache que c'est inutile.

Il se mit à fréquenter assidûment le couple. On les voyait toujours tous les trois – à l'opéra, dînant dans des bistrots, au théâtre ou dans les musées. Davì ne pouvait se passer de la présence d'Isabel, mais pour cela il devait supporter de la voir avec Guzman. C'était déchirant.

Au bout de quelque temps, il comprit qu'il devait agir. Poursuivre de cette façon lui devenait insoutenable.

Il lui envoya des signaux. D'abord discrets – de petites galanteries pour tâter le terrain. Puis de plus en plus clairs – le cadeau d'un tableau qu'elle avait remarqué dans une galerie, un regard insistant, lui frôler accidentellement les mains.

Elle ne remarquait pas ces allusions, ou feignait de ne pas les voir, mais peu importait à Davì. Parce que plus il était contraint d'insister, plus sa détermination augmentait. Isabel ne donnait pas l'impression que ses attentions la gênaient, pour lui c'était déjà un encouragement.

Mais ensuite Isabel, en sa présence, se jetait dans les bras de Guzman et le comblait d'attentions, comme une jeune amoureuse. Alors Davì se sentait de trop et se disait qu'il entretenait de faux espoirs.

Sa stratégie se révélait inefficace. Les messages qu'il lui envoyait, espérant créer un code n'appartenant qu'à eux, étaient d'inutiles appels jetés au vent. Il fallait fomenter un autre plan. Il avait besoin d'identifier le point faible de sa relation avec Guzman. Il ne les voyait jamais se disputer, ils étaient en accord sur tout.

Pourtant, cela arriva.

Lors d'une sortie dans les Alpes suisses. Ils avaient gagné un refuge pour s'abriter d'un mauvais orage, heureux de se réchauffer au coin du feu, de rire, boire et fumer. C'était l'un de ces rares moments de sérénité durant lesquels Davì se contentait d'être auprès d'elle et où il profitait de la compagnie de Guzman sans jalousie, comme autrefois.

La porte du chalet s'ouvrit et quatre personnes entrèrent, un couple avec deux enfants. Leurs cris joyeux attirèrent leur attention. Pour lui et Guzman, cela dura un instant, ils reprirent ensuite leur conversation. Mais Isabel, elle, s'attarda sur la petite famille. Et Davì saisit une ombre de tristesse dans son regard.

Voilà ce qu'elle voulait et ne pouvait avoir.

À ce moment-là, Davì acquit la certitude d'avoir trouvé le moyen de les séparer.

42

Il se rendit chez l'un des peintres qu'il finançait afin qu'il ne fasse pas carrière – à cette occasion, Davì se sentit stupide d'avoir échafaudé un tel plan – et lui commanda un portrait.

Il lui donna des indications très précises. Il voulait un visage d'enfant – tendre, au regard limpide. Et qui devait ressembler à Isabel.

— Ça ne doit pas être exagéré. Je veux une proximité que seule une mère puisse comprendre. Comme un appel du sang.

Quand l'œuvre fut achevée, Davì alla en faire don à Guzman. Ils l'admiraient au salon au moment où Isabel fit son entrée avec le thé.

Cela prit quelques secondes. Quand elle vit le tableau, elle regarda longuement l'enfant dans les yeux, sans rien dire.

Davì était satisfait : ils s'étaient reconnus.

Guzman ne remarqua pas le trouble dans l'expression de sa bien-aimée. Il n'accorda aucune importance au fait que, après avoir posé le plateau, Isabel se retira sans un mot – ce que Davì interpréta comme un départ précipité.

En fin d'après-midi, il s'en alla, réjoui. Il avait placé une présence entre eux. Il avait alimenté la peur d'Isabel – ne pas réussir à être mère. À partir de ce moment, le portrait de l'enfant allait la tourmenter, sans qu'elle puisse s'en séparer – il en était certain –, de même qu'on ne se débarrasse pas d'un enfant.

Les jours suivants, il la trouva inquiète. Son sourire était forcé, son esprit vaguait ailleurs.

Davì la couvrit de petites attentions. Il voulait être présent, mais aussi lui faire sentir qu'il avait compris qu'elle traversait un moment difficile. Isabel avait besoin d'un réconfort étranger, justement parce que la raison de sa tristesse était inhérente à sa relation avec Guzman. Ce dernier ne s'apercevait de rien, il était trop naïf ou trop peu expert en matière de femmes. Davì, lui, comprenait bien la situation : Isabel le laissait en secret entrer dans une partie enfouie d'elle-même. La clé pour y accéder était la justification que tout le monde utilise, hommes ou femmes : qu'il n'y a aucun mal à ça.

Si je lui fais croire que ce n'est ni un péché ni un délit d'accepter les soins de quelqu'un d'autre, alors c'est gagné, se répétait Davì.

Il savait que c'était une question de temps. Que, tôt ou tard, son désir insensé rongerait de l'intérieur la relation entre Isabel et Guzman, comme un nid de termites.

Toutefois, ce ne fut pas le temps qui agit. Ce ne fut pas le nouveau besoin d'Isabel, ni les attentions de Davì, qui changèrent tout pour toujours.

C'est Guzman qui s'en chargea – de façon inattendue.

43

Certains matins, le brouillard recouvre tout. Il apparaît et plus rien n'existe, tout part à la dérive, se disperse. Tout.

Le brouillard par-dessus les choses. Dans le brouillard la vie se repose.

Une nappe blanche enveloppait tout, le jour où Guzman décida de partir. Sans préavis et sans Isabel. C'était la première fois, depuis qu'ils s'étaient rencontrés, qu'ils se séparaient pour plus de quelques heures.

Ce matin-là il y avait du brouillard et une fine bruine, quasi invisible.

Guzman réveilla Isabel avec un baiser sur le front. Il lui prit la main et lui annonça qu'il serait absent une semaine. Elle lui sourit, lui caressa le visage et ne lui demanda rien. Mais elle remarqua que ses yeux n'étaient pas sincères.

Elle s'approcha de la fenêtre pour le saluer une dernière fois. Jusqu'à ce que le brouillard l'engloutisse.

Ainsi, l'homme qui fumait disparut – tandis que le monde, autour de lui, n'était que fumée.

La cape laiteuse persista toute la semaine, au terme de laquelle Guzman ne revint pas, contrairement à sa promesse.

À sa place, un message arriva. Pour Davì. Où il n'était écrit qu'un mot.

Un mot seulement.

Davì ne dit rien à Isabel. Mais, le lendemain matin, elle regarda par la fenêtre. Le brouillard avait disparu.

Alors elle comprit que Guzman ne reviendrait pas.

44

— Comme son père, dit Jacob Roumann, Guzman a abandonné la femme qu'il aimait.

— Mais à la différence de la mère de Guzman, Isabel n'a pas poursuivi son homme à travers toute l'Europe.

— Ils ne se sont jamais revus ? C'est ce que vous essayez de me dire ?

— Jamais, confirma le prisonnier.

Ce destin sembla infiniment triste à Jacob Roumann, comme si c'était lui qui l'avait subi. Puis il réfléchit. Effectivement, lui aussi avait été abandonné par sa femme. Jusqu'à peu, ils n'étaient séparés que par la guerre ou la possibilité qu'il meure sur le front. Depuis qu'il avait découvert qu'Anya aimait un autre homme, la perspective avait changé. Il n'était plus certain de lui reparler un jour. Il n'y avait pas pensé, jusque-là. Dans le fond, quelle raison y aurait-il eu de se revoir ? Ce qui avait été écrit suffisait à conclure l'histoire à jamais.

Le plus douloureux n'était pas d'avoir été abandonné mais de ne jamais la revoir.

— Je n'accepte pas que certaines choses soient définitives, avait confié le docteur. Je ne peux pas, c'est plus fort que moi. J'espère toujours qu'il y aura un appendice, du temps pour réparer ou changer.

Le prisonnier tira la dernière bouffée de sa cigarette.

— Même quand on les croit terminées, les histoires continuent en secret. Sans qu'on le sache. Elles s'écoulent comme des fleuves souterrains. Puis, soudain, elles refont surface dans notre vie.

— Alors c'est ainsi que s'achève l'histoire de Guzman ?

— Il y a encore une petite partie à raconter.

Jacob Roumann regarda l'heure.

— D'accord, mais il faut nous dépêcher.

45

Pas un mot. En trois ans, Davì ne lui dit pas un mot du message que Guzman lui avait envoyé après avoir disparu. Et pendant ces trois années, Isabel ne lui demanda rien.

Alors Davì – le collectionneur – se mit à collectionner Isabel. Un jour une pensée, le lendemain un souvenir. Ses mains. Son sourire. Un peu à la fois, sans hâte.

À certains moments, il avait l'impression que Guzman les observait à distance, en cachette. Mais il n'en eut jamais la preuve.

En décembre 1911, Isabel décida de partir pour l'Amérique. Davì l'y avait encouragée. « Pour une nouvelle vie », lui avait-il dit. Il la rejoindrait plus tard, peut-être en avril. Et sur cette nouvelle terre – lointaine – il lui demanderait de l'épouser.

La veille de son départ Isabel, dans l'obscurité silencieuse d'une énorme maison, se présenta au regard de

Davì dans son plus simple appareil. Elle lui dit oui trois fois avant de l'embrasser – oui pour le présent, oui pour le futur, oui pour le silence sur le passé.

Puis elle lui posa une question.

Davì avait compris qu'il n'y avait qu'une chose qu'il ne pourrait jamais avoir d'Isabel. Pas son amour, ça, il l'avait déjà. C'était sa douleur. Et quatre mois d'éloignement ne suffiraient pas.

Il le comprit à ce moment-là, après cette question – banale, normale.

— Davì, qu'y avait-il dans le message ?

— Un nom.

— Quel nom ?

— Celui que Guzman avait choisi pour une montagne sans nom, si jamais il en trouvait une.

— Quel était ce nom ?

46

— Isabel, dit Jacob Roumann.

Le prisonnier acquiesça.

— La singularité de l'affaire est que pour Guzman la difficulté n'était pas de trouver une montagne à laquelle donner un nom, mais le juste nom à donner à une montagne.

— Isabel est partie pour l'Amérique ?

— Elle a embarqué au Havre le 31 décembre 1911.

— Et quatre mois plus tard Davì a embarqué sur le *Titanic* pour la rejoindre, n'est-ce pas ?

— Oui.

Ils se turent un moment, parce que leurs pensées n'avaient pas besoin de mots.

— Vous aviez tout prévu depuis le début, dit enfin Jacob Roumann. Hier nous étions le 14 avril, aujourd'hui le 15, c'est la nuit du quatrième anniversaire du naufrage. Vous m'avez raconté votre histoire uniquement parce que je vous ai dit que c'était mon anniversaire. Sinon, vous vous seriez tu avec moi aussi.

— J'ai trouvé la coïncidence alléchante. Vous ne partagez pas mon avis ?

— Vous avez choisi cet endroit, le mont Fumo, pour venir mourir… Tout concorde, comme dans une histoire parfaite.

— Mais il n'existe pas d'histoire parfaite et, d'habitude, en temps de guerre, on ne peut pas choisir, affirma tranquillement le prisonnier en se penchant en avant pour que Jacob Roumann puisse le regarder dans les yeux. J'ai collectionné plus de vies que vous ne pouvez l'imaginer. Et maintenant, perdre la mienne en *choisissant* de mourir au milieu de toute cette mort, c'était une ironie que je ne pouvais laisser passer.

— Vous avez décidé de vous faire fusiller, déclara Jacob Roumann, déçu et énervé. Alors dans quel but m'avez-vous raconté cette histoire ?

— Je suis le dernier aède ! railla-t-il en pointant un doigt vers le ciel.

— Pourtant vous ne m'avez toujours pas dit comment vous avez rencontré Guzman…

Le prisonnier esquissa un sourire en soutenant le regard du médecin, puis il sortit quelque chose de sa poche.

— Il nous faut quelque chose qui se fume lentement. Non, ce n'est pas le cigare de Rabes, il n'est pas enveloppé dans du papier d'argent. Mais c'est égal.

Il le brisa en deux et en tendit une moitié à Jacob Roumann, qui hésita.

— Vous êtes le seul ami qui me reste, docteur. Ne me faites pas ça, je vous en prie.

Jacob Roumann accepta. Avec des gestes précis, élégants et poétiques, le prisonnier se prépara à fumer. Puis il frotta la dernière allumette contre la roche et la porta, protégée de sa main, jusqu'au cigare. Il aspira avec volupté la petite flamme à travers le tabac, puis la tendit à Jacob Roumann.

— À une époque lointaine et ancestrale, pour se prouver leur amitié les hommes s'échangeaient le feu.

Le médecin répéta docilement les gestes du plaisir. La guerre semblait très loin. Les deux hommes qui auraient dû être ennemis semblaient se connaître depuis une éternité.

— Que voulez-vous de moi, exactement ? J'ai compris depuis le début que vous aviez un plan...

Ils étaient arrivés au nœud de la question. On avait élaboré un plan et, désormais, Jacob Roumann était appelé à en faire partie.

— Vous êtes prêt à devenir le nouveau protagoniste de cette histoire ? demanda l'Italien en lui montrant quelque chose qu'il cachait dans une poche intérieure de sa veste.

Une lettre.

— C'est pour Isabel ?

— Vous lui ferez parvenir, n'est-ce pas ? Autrement ces mois atroces, toute ma vie, et même ma mort, n'auront pas de sens.

Jacob Roumann prit l'enveloppe et l'observa. Le papier était jauni, elle avait été écrite longtemps auparavant.

— Si je survis, j'irai en Amérique et je trouverai Isabel. Vous avez ma parole.

— Je ne l'ai pas signée, il est donc inutile que vous y cherchiez mon nom.

— Donc vous ne tiendrez pas votre promesse, vous ne me direz pas comment vous vous appelez…

— Vous le savez déjà, docteur.

Le rideau de la grotte s'ouvrit. Ils étaient venus chercher le prisonnier. Le sergent regarda Jacob Roumann pour connaître la réponse. Le docteur secoua la tête.

— Nous n'avons plus de tabac, dit l'Italien en se mettant debout. Il est temps d'y aller.

Jacob Roumann chercha la fleur de papier entre les pages de son agenda à la couverture noire. À l'aide d'un trombone, il fixa l'orchidée à la veste du prisonnier.

— À la place des grades.

L'Italien lui tendit la main. Ils se regardèrent dans les yeux. Ils n'avaient passé ensemble qu'une seule nuit, mais cela semblait toute une vie.

— Adieu, docteur.

— Adieu, Davì.

47

Le 6 mai 1937, tout New York avait le nez en l'air. C'était un jeudi, on guettait le passage du grand dirigeable, annoncé pour l'après-midi.

Jacob Roumann était le seul qui regardait vers le bas, vers l'adresse notée sur le billet qu'il tenait à la main. L'*Hindenburg* était parti de Francfort soixante-douze heures plus tôt, mais pour lui la traversée en bateau avait duré une semaine. Cela faisait cinq jours qu'il était en ville.

Il avait demandé au chauffeur de taxi de le déposer à deux pâtés de maisons de sa destination, il voulait poursuivre à pied. Il avait eu vingt et un ans pour y penser, pourtant il avait encore besoin de s'éclaircir les idées. Il était à peine 8 h 30 mais il faisait déjà chaud. Il retira sa veste et son chapeau, passa une main dans ses cheveux blonds grisonnants et s'engagea sur Madison Avenue.

Il arrivait au terme d'un long voyage, y compris dans le temps. Par quoi avait-il été poussé ? Dans le fond, il ne savait pas si l'histoire que lui avait racontée Davì – et que le prisonnier attribuait à Guzman – était vraie ou fausse. Madame Li, Dardamel, Rabes, Eva Mòlnar, Guzman lui-même pouvaient n'avoir jamais existé, et Jacob Roumann n'en saurait jamais rien. De même, les montagnes chantantes de la Chine, la pluie de savon de Marseille ou le tango sacrilège joué à l'ambassade d'Espagne par un orchestre qui s'était ensuite évanoui dans le néant.

Pour ce qu'il en savait, il pouvait s'agir de la tromperie extrême et funambulesque d'un prince italien célèbre pour ses entreprises burlesques. Et lui serait sa dernière victime, ignorante et idiote.

Il n'avait pu établir qu'un seul fait avec certitude, durant ces années.

Otto Feüerstein avait vraiment existé. Il figurait sur la liste des passagers du *Titanic*, bien qu'il n'y ait jamais embarqué à cause de la péritonite fatale qui l'avait emporté deux jours avant le départ. Et on lui avait raconté la fameuse légende de l'homme qui fumait sur le pont pendant que le navire coulait.

Jacob Roumann s'arrêta au centre du trottoir de Madison Avenue pour s'éponger le front. *J'y suis presque.*

À peine arrivé à New York, il avait appelé le standard qui lui avait passé le numéro. Une domestique avait répondu. Il lui avait seulement dit qu'il était un ami de

Guzman. La femme lui avait assuré qu'elle transmettrait le message aux maîtres de maison. Jacob Roumann aurait voulu parler directement à l'intéressée, mais il avait dû se contenter de laisser les coordonnées du petit hôtel où il séjournait, à Brooklyn.

Il avait attendu cinq jours qu'elle le rappelle, sans sortir de sa chambre, passant son temps à fumer. Il s'apprêtait à abandonner et rentrer chez lui, à Vienne. Mais ce matin-là, peu après 7 heures, le patron de l'hôtel avait frappé à sa porte pour lui annoncer qu'il y avait un appel pour lui.

Jacob Roumann s'était précipité pour répondre. Pendant vingt et un ans, il avait imaginé le visage de cette femme, mais jamais sa voix.

— Docteur Roumann ?

— Oui, madame.

— Je suis Isabel Scott Philips.

Elle s'était présentée sous son nom de femme mariée. Puis elle lui avait posé une question étrange, dont il n'avait pas bien compris la raison.

— Vous êtes certain de vouloir me rencontrer ?

Jacob Roumann imaginait que ce serait elle qui aurait des réticences. Déboussolé, il lui avait simplement répondu oui.

— Alors je vous donne mon adresse. Je vous attends d'ici une heure, avait-elle affirmé avant de raccrocher.

Sur le trottoir devant ce bel immeuble de Manhattan, il essayait de se souvenir du ton qu'elle avait employé pendant la conversation. Était-elle agacée ou triste ? Elle lui avait semblé froide. En effet, après qu'elle lui avait demandé s'il était certain de vouloir la rencontrer, il n'était plus aussi sûr que ce fût la juste chose à faire. Pourtant, après tout ce chemin, il ne pouvait pas tourner les talons.

Et puis, il avait fait une promesse. Or comme disait sa femme, les promesses alourdissent le cœur.

48

La maison appartenait à des gens aisés. Jacob Roumann, debout devant l'entrée, serrait son chapeau entre ses mains en regardant autour de lui – la décoration étudiée, les sols en marbre clair, l'argenterie, les tableaux aux murs. Un majordome l'introduisit dans un salon où dominait la couleur verte. Il l'invita à prendre place sur le canapé et se retira.

Le médecin passa quelques minutes en compagnie du tic-tac d'une horloge murale. Puis la porte s'ouvrit à nouveau, et il se leva. Une femme apparut. Elle portait les cheveux courts, à la mode, striés de blanc. Son physique était longiligne, sa peau ambrée. Dans l'imagination de Jacob Roumann, elle n'avait pas cinquante-sept ans, parce que jusqu'à ce moment elle était encore une jeune fille, comme dans l'histoire qu'on lui avait racontée. Ses yeux le frappèrent : très noirs, ils étaient encore jeunes, d'une forme qu'il aurait décrite comme arabisante. Elle les posa sur lui et lui tendit la main.

— Je suis désolée que vous ayez attendu si longtemps que je vous rappelle, s'excusa-t-elle.

— Ne vous excusez pas, je vous en prie. J'ai vingt et un ans de retard.

— Je suppose que me retrouver n'a pas été simple.

— Ce n'est pas uniquement cela. Je suis un médecin de campagne, pas très riche, et il m'est difficile de voyager. Et puis, ces temps-ci, il n'est pas aisé de quitter l'Autriche.

Il ne dit pas que ce voyage lui avait coûté dix ans de dures économies.

— Je comprends.

Isabel lui indiqua le canapé et prit place dans un fauteuil en face de lui.

— Je me rends compte que je débarque dans votre vie sans prévenir, en évoquant des souvenirs qui ne sont peut-être pas agréables. Je ne voulais pas vous mettre mal à l'aise, vous et votre mari, croyez-moi.

— George est absent ces jours-ci. Il accompagne notre benjamine à un concours hippique, elle est férue de cheval.

Jacob Roumann se sentit satisfait : elle avait des enfants, ainsi qu'elle le souhaitait quand elle était avec Guzman.

— C'est mon mari qui m'a poussée à vous rencontrer seul. George est un homme bon.

Jacob Roumann comprenait. Il n'est jamais facile d'affronter le passé.

— Je vais peut-être vous dire qui je suis, avant de vous dire ce que je fais ici.

— D'accord.

Les heures suivantes, il lui raconta les événements de la nuit du 14 au 15 avril 1916 sur le mont Fumo, l'histoire que Davì avait reversée dans sa mémoire. Elle l'écouta sans mot dire, les mains sur ses genoux, sans se décomposer, acquiesçant de temps à autre. Les effets du récit sur elle n'étaient pas évidents à décrypter, mais Jacob Roumann s'aperçut que chaque fois qu'il prononçait le nom de l'un des protagonistes, quelque chose changeait en Isabel. C'était quasi imperceptible, mais bien réel.

Il lui expliqua comment Davì était mort. Il avait été fusillé face aux neiges éternelles. Tandis qu'on le conduisait devant le peloton d'exécution, l'officier italien qui avait refusé de révéler son nom et son grade semblait presque content d'aller retrouver son amie la mort, après la nuit de leur première rencontre sur le *Titanic*. Le temps que les fusils soient chargés, Davì avait retrouvé quelques secondes sa fanfaronnerie de prince gascon pour lui hurler : « Écrivez ça dans votre agenda, docteur. En haut de la page du 15 avril. Parce que le premier mort d'aujourd'hui vous délivrera le plus beau début de poésie imaginable… *6 h 24. Soldat sans nom : "Pour toujours peut-être."* »

À la fin de son récit, Jacob Roumann sortit de sa poche la lettre du prisonnier. Isabel ne se pencha pas pour la prendre, alors il la posa entre eux, sur la table basse.

Elle observa l'enveloppe.

— Pourquoi êtes-vous venu jusqu'ici, docteur Roumann ? Et ne me répondez pas que c'est uniquement pour me remettre cette lettre.

— Était-ce le sens de la question que vous m'avez posée ce matin au téléphone, si je voulais vraiment vous rencontrer ?

— Il y a les gens qui veulent connaître la vérité et ceux qui préfèrent l'imaginer. À quelle catégorie appartenez-vous, docteur Roumann ? Vous êtes ici parce que vous voulez une réponse, n'est-ce pas ? Vous voulez savoir si l'histoire sur laquelle vous vous êtes interrogé pendant vingt et un ans, et qui vous a amené ici, est réelle. La réponse pourrait être dans cette enveloppe, et vous ne l'avez même pas ouverte pour savoir s'il valait la peine de faire tout ce chemin et ces efforts pour venir me l'apporter ? Je ne peux pas y croire…

Jacob Roumann se tut.

— Par exemple, combien de fois vous êtes-vous demandé si cela s'est vraiment passé comme on vous l'a raconté au grand bal de l'ambassade d'Espagne ? Vous savez comment Guzman a découvert mon prénom avant tous les autres ?

— Davì m'a dit qu'il ne le savait pas lui-même, que c'était l'un des rares secrets que Guzman conservait jalousement.

— Simplement, d'après Guzman cette histoire n'était pas assez fascinante pour mériter d'être racontée… Il m'a fait espionner par l'un des domestiques. Guzman a acheté mon nom, voilà la clé du mystère, dit-elle avec une note de rage dans la voix. Et le fait qu'il répétait qu'il l'avait choisi pour le donner à une montagne visait seulement à compenser toute cette banalité. Malgré tout, Guzman me rappellera toujours l'amour qui fait taire tous les autres. Il était mon vent.

Il était la synthèse parfaite, pensa Jacob Roumann. Lui-même n'avait jamais été le vent d'aucune femme, il le regretta.

— Guzman et Davì m'ont abandonnée tous les deux. Ils m'ont abandonnée tous les deux et je n'ai jamais su pourquoi.

— Il n'est pas nécessaire de savoir pourquoi. Ma femme m'a quitté pour un autre, pourtant je sais qu'elle m'a aimé. Je ne pense pas que la douleur soit un gage, ni qu'on ait le droit de rendre la pareille en toute situation.

— Je parie que ce qui vous blesse encore est qu'elle ne vous ait jamais demandé de la pardonner.

— Non, c'est autre chose… Elle ne m'a pas dit adieu.

Isabel se leva, vint s'asseoir à côté de lui et lui prit les mains.

— Je suis désolée.

— Pourquoi donc ? Vous venez de le dire : il y a des gens qui veulent connaître la vérité, d'autres qui préfèrent l'imaginer. Dans mon cas, la vérité est que tout a une fin, même l'amour. Il est malsain de rester amoureux d'un souvenir. Pourtant, j'aurais voulu avoir une lettre comme la vôtre.

Elle baissa les yeux sur l'enveloppe, coupable.

Jacob Roumann lui lâcha les mains.

— Je suis content d'avoir réussi à vous parler. Dans le fond, j'ai survécu à la guerre uniquement pour venir ici. Mais maintenant, je dois repartir.

— Pourquoi ne restez-vous pas, plutôt ? L'Amérique est un pays accueillant.

Jacob Roumann savait à quoi elle faisait allusion, mais son vieux cœur juif avait une réponse à cela.

— Il y aura bientôt une nouvelle guerre, en Europe. La haine est comme la vapeur, on ne peut pas la retenir, tôt ou tard elle explose, même si certains sont convaincus que ce n'est que de l'eau. Mais ma place est auprès des patients de mon village – les enfants aux genoux écorchés, les femmes enceintes, les vieux à rhumatismes. J'ai découvert une nouvelle façon de les soigner et moi seul la connais, c'est le problème.

— De quoi s'agit-il ?

— Je leur raconte les aventures d'Eva Mòlnar. Et cela fonctionne, cela fonctionne toujours… Vous ne l'avez pas compris ? Je suis le dernier aède ! ironisa-t-il en pointant un doigt vers le ciel.

Il voulait éviter de dire la vérité. C'est-à-dire qu'il avait une autre mission à accomplir : la femme aux fleurs de papier attendait son histoire Et s'il ne retournait pas là-bas, de l'autre côté de l'océan, il ne pourrait jamais retrouver Anya pour la lui raconter.

— Après toutes ces années et le temps que vous avez mis à me la remettre, vous ne voulez pas connaître le contenu de la lettre ?

— La vérité n'est pas pour moi, lui dit Jacob Roumann sereinement. Mais j'aime l'imaginer.

Chère Isabel, Isabel chérie,

Cette lettre te parvient parce que je ne suis plus. Mais la mort d'un jour est déjà passée. Et ces quelques lignes sont tout ce qui reste de moi.

On dira que je me suis engagé pour racheter une vie sans honneur, or ce n'est pas la vérité. Je suis ici pour chercher la mort. Parce que ceux qui l'ont regardée dans les yeux – comme moi, au milieu de l'océan – ne peuvent s'empêcher de la défier. C'est étrange : d'un côté, on se sent soulagé d'y avoir échappé, de l'autre, on désire l'approcher. Tant qu'on ne l'a pas ressenti, on ne peut pas le comprendre.

Mais il est juste que tu saches, que tu connaisses une vérité que tu n'imagines pas. J'aurais dû t'en parler mais je n'ai pas pu, je n'ai pas voulu. Je n'ai pas eu le courage.

Guzman était en train de mourir.

Il ne pouvait pas te le dire. Il ne pouvait pas. « Tout une seule fois. Une fois seulement. » Tu te rappelles ? Il aurait dû te dire adieu chaque jour. Il a préféré le faire en une occasion unique.

Un mot sur un message. Un prénom. Il l'avait choisi... Il l'avait choisi, tu comprends ? Parce que Guzman n'avait jamais donné de nom à une montagne.

Pour lui il n'existait qu'un prénom. Le tien.

Pourtant, il manque encore quelque chose. Tu ne crois pas ? Je veux dire : qu'y a-t-il de plus définitif que la mort ? Or il manque un détail. Un détail qui nous rachète, qui nous sauve tous. Il manque un geste. Une petite chose mais importante. Comme fumer.

Ceci est la vérité. Enfin. J'espère que quelqu'un me pardonnera. Mais avant, une dernière chose.

J'ai revu Guzman.

Oui, je l'ai revu par une nuit étoilée d'avril 1912. Le destin nous avait réunis sur un énorme navire d'acier au nom grotesque, un navire qui effectuait son premier voyage, de l'Angleterre à l'Amérique, celui qu'il ne pourrait jamais achever.

Peut-être que Guzman l'imaginait.

Quand j'ai découvert par hasard qu'il était à bord, j'ai pensé qu'il avait appris où tu te trouvais et qu'il voulait te rejoindre. Pourtant quand je l'ai vu – quand j'ai vu dans quel état il était –, j'ai compris qu'il n'en était pas ainsi.

Il lui restait très peu temps à vivre. Et il le savait.

Alors je me suis demandé pourquoi il était venu mourir aussi loin de ses montagnes, au milieu de la mer.

J'ai eu la réponse quand tout sombrait.

J'ai vu un homme sur le pont – élégant, immobile, insouciant. Il fumait.

La Femme aux fleurs de papier

Il tenait entre ses doigts le cigare de Rabes et il regardait quelque chose au loin, devant lui. Quelque chose qu'il admirait comme s'il l'avait attendu, cherché.

J'ai imaginé que l'âme de Guzman se trouvait dans ce dernier nuage de fumée, qu'il le suivait, puis qu'il le regardait d'en haut et le reconnaissait.

Un homme de dos, la main dans sa poche – sans peur, sans pensées, enfin content. Avec un cigare d'argent à embrasser. Et une montagne de glace à baptiser.

Note de l'auteur

La première fois que j'ai entendu l'histoire d'Otto Feüerstein, je me suis dit qu'elle serait parfaite pour un thriller. Je me trompais. Parce que ceci est un *noir**.

Inutile d'ajouter que, plus de cent ans après le naufrage du *Titanic*, personne n'a résolu le mystère de l'identité de l'homme qui fumait sur le pont du navire.

L'histoire par laquelle j'ai essayé de donner une réponse à l'énigme, avant de devenir un roman, a eu plusieurs vies. Elle a été un monologue musical pour le théâtre, avec une magnifique bande-son composée par Vito Lo Re. Un thème cinématographique. Un récit durant une longue nuit en mer. Une déclaration d'amour.

Les autres histoires que j'ai insérées entre ces pages ont également une origine réelle. Mais à part vous inviter à découvrir ce qui s'est passé à New York le

6 mai 1937 ou vous conseiller un voyage en Chine pour écouter les montagnes chantantes, je reste fidèle à la règle de Guzman, je ne tiens pas à vous révéler ce qu'il y a de vrai dans ces petits récits.

La seule vérité que je vous accorde concerne une bataille sur le front des Dolomites, qui a effectivement opposé les Italiens aux Autrichiens du 12 au 16 avril 1916. Le mont Fumo n'est donc pas mon invention, il a vraiment été un théâtre de la guerre ces jours-là. Je dois la découverte de l'incroyable coïncidence avec l'anniversaire du naufrage du *Titanic* à l'historien Giovanni Liuzzi – également mon excellent professeur au lycée. En revanche, les éventuelles inexactitudes n'appartiennent qu'à l'élève.

Pour raconter un petit scénario de la Grande Guerre, j'ai dû puiser dans les récits et la mémoire des rescapés et des survivants. Il n'a pas toujours été agréable de lire les histoires comme celle des officiers italiens qui, pour pousser leurs troupes à attaquer et se faire massacrer, tiraient dans la tête de certains soldats choisis au hasard. Il reste des guerres des monuments qui célèbrent les héros, mais il faudrait sans doute aussi se rappeler tous ceux qui, dans l'ombre du conflit, ont utilisé des méthodes viles et inhumaines au nom et pour le compte de la patrie.

Je me rends compte qu'écrire un récit sur l'art de fumer à une époque d'intégrisme sanitaire m'expose à bien des attaques. Je répète donc solennellement que fumer est très mauvais et que même le soussigné a cessé depuis longtemps de s'intoxiquer à la nicotine. Je revendique pourtant le droit de raconter des personnages fumeurs convaincus, empoisonneurs imperturbables d'eux-mêmes qui se fichent de la mort ou de sembler politiquement corrects. Parce que ce qui nuit gravement à la santé des bien-pensants est surtout la liberté des autres.

Enfin, comme toujours, je remercie tous ceux qui ont aimé cette histoire. Mais cette fois ma reconnaissance va aussi à tous ceux qui, comme Guzman, la transmettront.

Donato CARRISI

Photocomposition Belle Page

Impression réalisée par
CPI Brodard et Taupin
La Flèche

pour le compte des Éditions Calmann-Lévy
31, rue de Fleurus 75006 Paris
en septembre 2014

calmann-lévy s'engage pour l'environnement en réduisant l'empreinte carbone de ses livres. Celle de cet exemplaire est de :
550 g éq. CO_2
Rendez-vous sur www.calmann-levy-durable.fr

N° d'éditeur : 5186648/02
N° d'imprimeur : 3006933
Dépôt légal : octobre 2014
Imprimé en France